MASAJE
RÁPIDO

Rahel Rehm-Schweppe

MASAJE
RÁPIDO

Ponte en forma y mejora tu salud

10 minutos al día de ejercicios
para gente con poco tiempo

HISPANO
EUROPEA

Índice

Ejercicios de masaje:
sobre la magia del masaje

La tradición de la caricia

Desde tiempos ancestrales las caricias han sido para el hombre expresión de afecto y cariño. En ocasiones, una tierna caricia en la mejilla o un abrazo sincero dicen más que muchas palabras. Así pues, el tocarse y ser tocado constituyen la forma más antigua de comunicación: solo con el contacto de sus cuerpos, dos personas pueden comunicarse muchas cosas sobre sus sentimientos y su estado de ánimo.

TAN VIEJO COMO LA HUMANIDAD

El masaje consiste en manipulaciones llenas de amor en zonas concretas para conseguir un determinado efecto. Incluso los niños pequeños se frotan instintivamente determinadas zonas de su cuerpo cuando tienen dolor, y nada calma mejor sus pequeños males que un par de caricias tranquilizadoras. Pero incluso miles de años atrás el masaje se utilizaba para aliviar determinados trastornos. Así, en los primeros documentos escritos de la medicina tradicional china ya encontramos indicaciones sobre distintos masajes terapéuticos; y los orígenes de la tradición ayurvédica del masaje se remontan hasta mucho más allá de nuestra era.

EL MASAJE EN EL MUNDO

A lo largo del tiempo, en todo el mundo, prácticamente todas las culturas han desarrollado su propia tradición de masajes, los cuales se basan sin excepción en la fuerza del contacto, aunque de las formas más diversas:

> En el ayurveda indio los masajes se realizan tradicionalmente con mucho aceite, el cual se elige especialmente con este fin y según las necesidades se enriquece con otras sustancias.

> En la tradición china y japonesa, la presión sobre unos determinados puntos del cuerpo constituye una parte importante del tratamiento. De esta manera se consiguen determinados efectos. En este caso el aceite se utiliza en contadas ocasiones.

> En el masaje tailandés tradicional, el cuerpo del paciente no solo es presionado o amasado, sino movilizado mediante la aplicación del cuerpo del masajista para que adopte determinadas posturas. Aunque las tradiciones de masaje orientales son las más antiguas y acreditadas, en otras partes del mundo también se conocen diversos métodos de masaje, como el masaje *Lomi-Lomi* hawaiano, los masajes con piedras calientes o los masajes con distintas mezclas especiales de aceites o pastas de hierbas.

LA TRADICIÓN EUROPEA DEL MASAJE

En Europa, el masaje no tiene una tradición tan importante como en la zona asiática, pero aún así se conoce desde hace mucho tiempo: tanto en la Grecia como en la Roma antiguas se aplicaban los masajes en medicina y en la cultura de los baños. Más adelante, el masaje dejó de tener relevancia en la medicina, de manera que la Edad Media lo hizo desaparecer incluso de la vida privada. Solo a principios del siglo XIX aparece un método de masaje relevante con el masaje sueco, el cual hoy en día sigue siendo un importante método terapéutico para las contracturas y otros trastornos del aparato locomotor humano.

La aplicación con fines médicos del masaje sueco provocó el resurgir del masaje. Junto a los masajes con acción terapéutica, los cuales deben quedar en manos de terapeutas, existe un gran número de masajes para los que no es necesario ningún tipo de formación. Así pues, no se prive del placer que le puede proporcionar un masaje sencillo, siempre que se realice con cuidado y cariño.

CUALQUIERA PUEDE DAR UN MASAJE

En algunos masajes, sea con o sin aceite, sea chino, indio o sobre las zonas reflejas, no se trata tanto de poseer

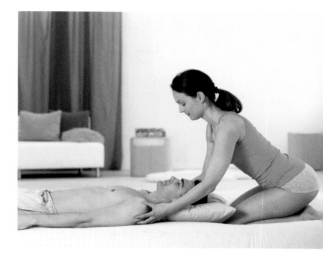

Con un masaje lleno de amor puede proporcionar a su pareja mucha relajación y bienestar.

grandes conocimientos sino de la entrega y la capacidad de compenetración de la persona que da el masaje. Con este libro aprenderá diferentes técnicas de masaje breves y sencillas con las que podrá dar un pequeño y agradable masaje de manera inmediata sin necesidad de conocimientos previos.

9

¿Qué son los ejercicios rápidos de masaje?

¿Quién dice que el masaje lleva mucho tiempo? Incluso un breve masaje puede tener sorprendentes resultados. Aunque sea un masaje de cinco o diez minutos: con un par de sencillas manipulaciones y técnicas de presión puede relajarse entre horas, liberar el estrés o aliviar dolores y otros síntomas.

Los ejercicios rápidos de masaje son masajes breves y escogidos que pueden realizarse en muy poco tiempo. Generalmente, necesitan muy poca o ninguna preparación previa, de manera que puede aplicar el masaje (prácticamente) siempre y en cualquier lugar. Incluso una persona que nunca haya realizado ningún tipo de masaje podrá iniciarse en el programa de bienestar más viejo del mundo. Los ejercicios rápidos de masaje se limitan a lo más esencial y son tan fáciles de aprender que incluso los principiantes pueden empezar inmediatamente.

EL MASAJE ADECUADO PARA CADA OCASIÓN

Desde el masaje de reflexología, pasando por la digitopuntura, el masaje con miel o aceite de rosas hasta un pequeño masaje de cuero cabelludo o relajante para la espalda: mediante los ejercicios rápidos de masaje usted puede hacer mucho por su salud y su bienestar y mimarse (a usted o a su pareja) un poco en cualquier momento. No importa si se encuentra en casa, en la playa o en la oficina, los ejercicios rápidos de masaje le ofrecen el masaje adecuado para prácticamente cualquier ocasión. Encontrará masajes para relajarse y mimarse, para aliviar pesadas molestias o conciliar con mayor rapidez el sueño. Otros masajes sirven principalmente para darle algo bueno a su piel y sus sentidos. Asimismo, los masajes energéticos, los cuales ofrecen armonía a cuerpo, mente y espíritu, están pensados como breves masajes estimulantes que le dan energía por la mañana. Por último pero no menos importante, los ejercicios rápidos de masaje también son ideales «simplemente» para disfrutar.

EL MASAJE FÁCIL

Entre los ejercicios rápidos de masaje encontrará fácilmente el masaje adecuado: el recuadro informativo de la presentación de cada uno de los masajes muestra de forma inmediata la duración del masaje, si es adecuado solo para la pareja o también como autotratamiento, lo que necesita para realizarlo y su efecto. De esta manera no es necesario que se entretenga en leer y puede disfrutar más rápidamente del efecto beneficioso del masaje.

Todo lo que necesita saber lo encontrará en la descripción de cada uno de los ejercicios rápidos de masaje. ¿Desearía leer más sobre el arte del masaje? Justo antes de la parte práctica encontrará, a partir de la página 24, la información más importante así como una pequeña introducción para la elección del aceite de masaje adecuado. A continuación se presentan los diferentes efectos y técnicas de masaje:

¿Autotratamiento o masaje en pareja?

Para un masaje son necesarias dos personas. Esta premisa impide a muchas personas descubrir por sí solas los beneficios de un masaje. Naturalmente, dejarse dar un masaje por una persona con la que conectamos es maravilloso, sin nada más que hacer que sentir el contacto y disfrutar del mismo.
Sin embargo, hay muchas técnicas de masaje que son igualmente adecuadas para el autotratamiento y no precisan de una pareja de masaje. Al seleccionar los ejercicios rápidos de masaje se tuvo en cuenta que, a ser posible, también fueran adecuados para el autotratamiento, ya que no siempre disponemos de una pareja a mano cuando necesitamos un poco de relajación, un masaje para la mente o el alivio rápido del dolor de cabeza.

Un breve automasaje puede ser tan placentero y útil como el masaje de otra persona. Además, muchas veces es incluso más fácil acertar la intensidad y localización correctas del masaje.

¿POCO TIEMPO? ¡NINGÚN PROBLEMA!

Aunque no disponga de mucho tiempo, seguro que puede robarle cinco minutos a su agenda. Los ejercicios rápidos de masaje hacen posible sacar el mayor rendimiento de una breve pausa para relajarse y renovar las fuerzas para seguir con nuestras tareas. Con los ejercicios rápidos de masaje la «falta de tiempo» ya no es motivo para no disfrutar de un beneficioso masaje. En un par de minutos, entre tarea y tarea, puede hacer algo bueno para usted mismo y después reemprender más relajado sus tareas cotidianas.

Relájese con un beneficioso automasaje.

Minimasajes para el cuerpo y la mente

Ningún masaje es igual a otro: mientras que algunas técnicas de masaje tratan básicamente los músculos y con ello alivian la tensión y el dolor, en otros casos se trata simplemente de disfrutar. En algunas ocasiones el aceite de masaje utilizado es decisivo para los efectos del masaje, mientras que otras veces, sobre todo en las técnicas de masaje orientales, el masaje activa la energía vital que circula por todo el cuerpo a través de canales energéticos y que llega a todos los órganos. En este capítulo encontrará los conceptos básicos más importantes de las distintas técnicas de masaje, para que no solo conozca y entienda de manera sencilla cómo puede realizar un agradable masaje, sino también por qué actúa de manera tan sorprendente.

RELAJAR LA MUSCULATURA

Ante el tema de los masajes, la mayoría de las personas piensan en la relajación de los músculos en tensión y el alivio del dolor de espalda. La presión, amasado y frotamiento del masaje estimulan la circulación en la piel y los músculos situados por debajo. Al realizar el masaje, los músculos relajados se notan blandos y elásticos. Por el contrario, cuando el músculo está contraído y tensionado se nota duro y no se deja moldear. Los músculos tensionados dificultan el movimiento, tiran unilateralmente del hueso y de esta manera provocan dolores cada vez más intensos.

El masaje como terapia manual

Con el masaje como terapia manual se aflojan, estiran y relajan los músculos en tensión. El aumento de la circulación favorece esta acción, ya que con ella se sueltan las fibras musculares enganchadas y se transportan fuera del tejido los detritos metabólicos. Para ello es importante masajear a ser posible todo el músculo. Así, en muchos masajes se establece con exactitud qué zonas corporales deben masajearse y cómo debe hacerse.

Masaje sueco. Ideal en caso de dolor y contracturas

Las técnicas del masaje clásico o sueco son especialmente recomendables cuando existe dolor en hombros o nuca, presión en la cabeza o contracturas en las piernas. Con su ayuda puede conseguir un alivio rápido de determinadas molestias y tratarlas desde los primeros signos de dolor, antes de que empeoren. Entre los ejercicios rápidos de masaje encontrará diversos programas cortos con las técnicas del masaje sueco. De esta manera, podrá eliminar fácilmente diversas molestias cotidianas.

DESPERTAR NUEVAS ENERGÍAS

Se trate de medicina tradicional china, ayurveda o shiatsu, desde tiempos ancestrales en el contexto oriental se ha considerado cuerpo, mente y espíritu como un todo indivisible y cuyo tratamiento no puede limitarse a

Masaje sueco

El masaje sueco o clásico es la técnica de masaje más importante de Europa. Uno de sus pioneros fue el sueco P. H. Ling, quien a principios del siglo XIX fundó en Estocolmo uno de los primeros institutos de masaje e introdujo las técnicas más importantes de manipulación del masaje sueco: fricción, presión, percusión, rodillos y amasado.

El masaje sueco sigue siendo hoy en día una de las técnicas de masaje más importantes: las personas a las que el médico prescribe masajes, con toda seguridad serán tratadas según las reglas de este masaje. Se utiliza principalmente en los trastornos y dolores del aparato locomotor y es llevado a cabo por masajistas especializados. Estos tienen grandes conocimientos de anatomía que les ayudan a tratar cada uno de los músculos.

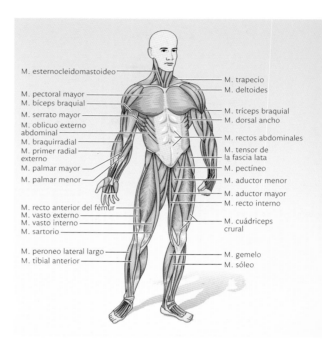

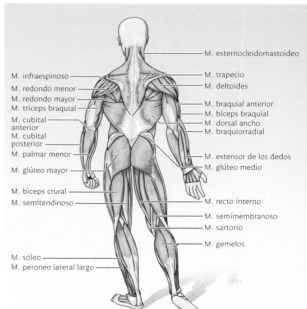

Con las técnicas del masaje sueco se trata la tensión de músculos y grupos musculares.

las zonas dolorosas. El masaje oriental se basa en una filosofía que se concentra intensamente en la prevención. Así pues, los masajes no se aplican cuando ya ha aparecido el dolor, sino a las personas sanas, de manera que se evite la aparición de las molestias.

Todo es energía

Las técnicas orientales de masaje parten de la idea de que el cuerpo humano lo atraviesan canales energéticos que llegan a todas las zonas y órganos corporales y que conducen la energía también a la mente. El masaje ayuda al fluir de la energía en el organismo y a eliminar los bloqueos que pueden dificultar dicho flujo. Así pues, por lo general, las técnicas orientales de masaje no se centran en las zonas dolorosas o tensionadas sino que incluyen también zonas alejadas de ellas.

Cargarse de energía y encontrar la armonía

Los masajes orientales llenan el organismo de nuevas energías y refrescan o calman el espíritu. Así pues, son especialmente adecuados cuando se vive en un entorno con tensión o después de un día estresante, para recuperar la energía. Con los minimasajes del Lejano Oriente que encontrará en la parte práctica, podrá experimentar de manera rápida y

El secreto de la fuerza vital

La energía, base de toda vida, se conoce en todas las medicinas orientales: en China es conocida como Qi, en Japón, Ki, y en la India, Prana. Esta fuerza vital es una energía sutil que no puede medirse con los aparatos científicos occidentales. Sin embargo, los métodos terapéuticos que trabajan con esta energía vital han sido estudiados y acreditados por la medicina oriental; en muchas ocasiones la medicina occidental moderna tampoco tiene otra manera de explicar su acción. El secreto de la fuerza vital y de los masajes energéticos orientales todavía no ha sido descifrado, pero su eficacia es indiscutible.

sencilla la acción energizante y equilibrante de los masajes orientales.

ESTIMULACIÓN REFLEJA DE LOS ÓRGANOS

A principios del siglo XIX, diversos médicos tanto de Europa como de los Estados Unidos estudiaron las relaciones reflejas entre determinadas zonas cutáneas y los órganos internos. Un otorrinolaringólogo estadounidense, el doctor William H. Fitzgerald (1872-1942), dedicado no tan solo a la medicina popular china sino también a la india, es considerado el fundador de la reflexoterapia moderna. Descubrió que masajeando determinadas zonas del cuerpo podía influir sobre diversos órganos.

Los pies. Una representación de todo el cuerpo

El descubrimiento del doctor Fitzgerald fue estudiado más ampliamente por la masajista Eunice D. Ingham-Soppel, la cual se concentró especialmente en las zonas reflejas de los pies y, de esta manera, puso los cimientos de la moderna reflexología podal. Descubrió que mediante el masaje dirigido de los pies podía actuar a distancia en todo el cuerpo y que todo el organismo estaba representado en las zonas reflejas de los mismos. Así, por ejemplo, mediante el masaje de las zonas reflejas puede estimularse de manera manifiesta la circulación de los órganos internos a través de su relación refleja con los pies. Sin embargo, casi más importante es la acción global sobre el organismo: se produce una relajación de todo el organismo y un equilibrio entre cuerpo y mente.

Rápido y sencillo para obtener más bienestar

En manos y orejas también existen zonas relacionadas de forma refleja con el resto del organismo. Asimismo, son adecuadas para aumentar el bienestar y renovar las energías del organismo. La reflexoterapia proporciona un sueño reparador, mejora la función metabólica y reduce el estrés.

PRESIONAR PUNTOS MÁGICOS

Al igual que en la reflexoterapia, en algunas técnicas de masaje asiáticas se utiliza la unión entre diversas zonas del cuerpo y órganos con determinados puntos energéticos del cuerpo. Sin embargo, estos «puntos mágicos» de la digitopuntura, el shiatsu y el masaje tibetano no se encuentran concentrados en zonas pequeñas como los pies o las

Zonas reflejas

Las interacciones entre las zonas reflejas, sobre todo las de los pies, y los órganos subordinados a las mismas puede percibirse en forma de sensibilidad a la presión, hormigueo o sensación de calor. La forma en la que se producen estas interacciones todavía no está clara. Hasta el momento no se han podido demostrar las teorías que hablan de que el estímulo táctil se transmite a través de las vías nerviosas de las zonas reflejas hasta las regiones corporales unidas a estas.
En ocasiones también se ha relacionado la acción con vías energéticas que funcionan de manera similar a los meridianos de la medicina tradicional china.

manos, sino que están repartidos por todo el cuerpo. Generalmente se localizan a lo largo de determinados canales energéticos, conocidos como meridianos. Los meridianos recorren el cuerpo de la cabeza a los pies y transportan la energía hasta los diversos órganos y zonas del cuerpo. De hecho, en la acupuntura se tratan los mismos puntos, pero no a través del masaje sino con unas agujas especiales.

Los meridianos. Canales energéticos

En la medicina tradicional china, sobre la que se basan tanto la digitopuntura como el shiatsu, el cuerpo humano no es considerado como una «máquina» formada por muchas piezas, sino como un sistema complejo, donde trabajan mano a mano muchos circuitos reguladores y esferas de acción. Los meridianos aportan energía a este sistema y comunican las distintas zonas entre ellas. Así pues, el masaje de los puntos de digitopuntura que se encuentran en su trayecto no solo influye (mediante el estímulo de la presión) sobre un entorno más inmediato, sino que tiene efecto sobre todo el sistema y de múltiples maneras procura un efecto curativo y de bienestar.

Para que una persona se mantenga sana es importante que su energía vital Qi fluya sin problemas por todo el organismo: cualquier bloqueo altera el equilibrio energético.

Hacer fluir la energía

El masaje de los puntos de digitopuntura sirve para estimular el flujo de la energía a través de los meridianos y eliminar los bloqueos. Cada punto de digitopuntura está ligado a un determinado ámbito de acción. En algunos puntos este ámbito de acción es múltiple, por ejemplo para

---

Yin y yang: dos mitades de un todo

Junto al sistema de meridianos, la teoría del yin y el yang es una de las principales bases de la medicina china. El yin y el yang son fuerzas polarizadas que representan las dos caras de una misma moneda. Se encuentran en un circuito continuo en el que las fuerzas se alimentan constantemente la una de la otra. El yin y el yang se encuentran en todos los aspectos de la vida. Su equilibrio es muy importante: el cuerpo, la mente y el espíritu solo pueden permanecer sanos cuando se encuentran en una relación equilibrada. Físicamente, el yin y el yang se reflejan en las parejas de contrarios como frío-caliente, pasivo-activo, húmedo-mojado, inspiración-espiración. Asimismo, los distintos meridianos pueden ser yin o yang. Así pues, el tratamiento con digitopuntura procura que estos importantes principios recuperen su relación de equilibrio.

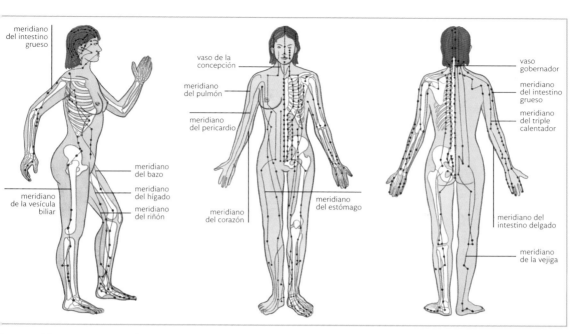

meridiano del intestino grueso

vaso de la concepción

meridiano del pulmón

meridiano del pericardio

meridiano del bazo

meridiano del hígado

meridiano de la vesícula biliar

meridiano del riñón

meridiano del corazón

meridiano del estómago

vaso gobernador

meridiano del intestino grueso

meridiano del triple calentador

meridiano del intestino delgado

meridiano de la vejiga

Los meridianos recorren todo el cuerpo y llevan la energía continuamente a todos los órganos y zonas del mismo, la cual es imprescindible para mantener la salud y el bienestar.

distintos dolores, para reforzar el sistema inmunitario o para conseguir una mejora generalizada del estado general.

Para la presión de los «puntos mágicos» de la medicina oriental no es necesaria una técnica complicada: en la digitopuntura y el shiatsu los puntos son tratados mediante la presión de los dedos y en el masaje tibetano son masajeados dibujando pequeños círculos. Los masajes de los puntos energéticos constituyen unos de los ejercicios más sencillos. Pueden realizarse en cualquier momento del día, prácticamente no es necesaria ninguna preparación previa y solo unos momentos después se nota un primer efecto. Dado que el resultado del masaje de los puntos energéticos no consigue su efecto por la presión y el amasado en sí mismos, sino por la estimulación del flujo energético en el cuerpo, pueden pasar entre diez y veinte minutos antes de sentir su efecto.

SENTIR MÁS, VIVIR MÁS INTENSAMENTE

La sensibilidad de nuestros sentidos no es siempre la misma; un ruido persistente puede llevar a que dejemos de percibir los ruidos, nuestros ojos pasan sin reaccionar por las caras conocidas cuando nuestros pensamientos se hallan muy lejos de donde estamos e incluso nuestro sentido del gusto puede ir perdiendo sensibilidad por un exceso o un defecto mantenido de estimulación. Aquellas personas que sienten que la vida se ha vuelto insulsa y aburrida, con frecuencia han perdido la capacidad de percibir correctamente las cosas bonitas de la misma.

El poder de los sentidos

El olor a pan recién hecho, el trino de los pájaros por la mañana, el tierno beso de una persona querida o el brillo del sol sobre las olas del mar, todo ello son cosas que imprimen color a la vida y constituyen un bálsamo para la mente, sobre todo cuando la gris monotonía del día a día amenaza con ahogar la alegría de vivir.

Sin embargo, para percibir todas las cosas bonitas de la vida es necesario ir por el mundo con los sentidos despiertos. Esto es fácil cuando se trata de la vista, el oído o incluso el olfato, ya que un cuadro bonito, la música o un aroma agradable hacen que sea sencillo regalar los sentidos con estímulos bonitos.

Por el contrario, el sentido del tacto está tan omnipresente que con frecuencia lo olvidamos: sentimos constantemente la ropa sobre la piel y percibimos si hace calor o frío, pero pocas veces pensamos en mimar nuestra piel, la cual hace posibles tantas sensaciones, con un roce tierno o una caricia amorosa.

Mime su piel

Nuestra piel es mucho más que la cubierta externa de nuestro cuerpo –nos permite el contacto directo con nuestro entorno y nos aporta múltiples sensaciones, sin las que la vida sería muy aburrida–. Nada estimula más la sensualidad, el arte de vivir la vida con los cinco sentidos, que una caricia. Una presión suave, una caricia tierna, igual que una fricción intensa, estimulan las células sensoriales de la piel y aumentan su sensibilidad. Esto es cierto tanto para el automasaje como para el masaje realizado por otra persona. Y precisamente es la sensualidad la que nos permite vivir la vida en toda su intensidad; lleva la belleza de la mirada

La piel, la puerta al mundo de los sentidos

La piel es el mayor órgano sensorial del organismo humano. Con una superficie de 1,5-2 m², contiene innumerables células sensoriales que nos permiten percibir el contacto y «percibir» nuestro entorno a través del sentido del tacto. Estas células sensoriales o sensores perciben la información sobre la presión, la temperatura y el dolor y las transmiten hasta el cerebro. Desde que nacemos, estas percepciones constituyen un aporte importante para el desarrollo de nuestro cerebro: los estímulos neuronales provocados por el tacto estimulan el desarrollo de las vías nerviosas y las conexiones nerviosas cerebrales.

más allá del día a día y hace que la vida tenga realmente sentido.

RESPIRAR Y RELAJARSE

El arte del masaje no sería tan seductor si prescindiéramos de la maravillosa fuerza de los aromas. Los aceites aromáticos refuerzan el efecto del masaje; tienen un efecto relajante y estimulante, favorecen la circulación y aportan nueva armonía a mente y espíritu. Al igual que el masaje, la aromaterapia es un método terapéutico de eficacia acreditada. Ya en la Grecia, el Egipto y la Arabia antiguos, así como en la India y China, la utilización de aceites aromáticos desempeñaba un importante papel hace miles de años.

El tierno aroma de las flores hace que el masaje sea especialmente relajante, no solo para el cuerpo sino también para la mente.

La fuerza curativa de los aromas

El sentido del olfato tiene un efecto tan inmediato sobre nosotros como ningún otro: podemos cerrar los ojos o taparnos las orejas, evitar el contacto o cerrar la boca a sabores desagradables, pero cualquier olor es percibido con cada respiración. Todos los olores son transmitidos inmediatamente al cerebro, donde en cuestión de segundos despliegan su acción sobre nuestras sensaciones. Los olores agradables nos ponen de buen humor, estimulan el apetito o despiertan bonitos recuerdos. Millones de células olfativas de la nariz humana perciben innumerables olores. La aromaterapia se sirve del olfato para

aliviar y curar trastornos no solo psicológicos sino también físicos con la ayuda de esencias de plantas aromáticas. Los distintos aromas utilizados tienen su propia acción totalmente específica.

La esencia aromática de las plantas

En la aromaterapia se utilizan básicamente aceites esenciales en los que la esencia aromática de la planta está concentrada. Por lo general, los aceites esenciales se obtienen por destilación; en ocasiones también por extracto alcohólico o prensado de las flores, de las hojas o incluso de la corteza o las raíces de las plantas. Para la obtención de unos pocos mililitros de aceite esencial, con frecuencia son necesarios varios kilos de la planta. Por este motivo el precio de los

Principales aromas y su acción

Los siguientes aceites esenciales son especialmente adecuados para la preparación de aceites de masaje. Cuando se realiza un masaje sin aceite, pueden desplegar su aroma a través de la lámpara aromática:

>> *Rosa (*Rosa damascena*): calmante, aporta seguridad y consuelo. Alivia el nerviosismo y el abatimiento. Cuida la piel, tiene un efecto relajante y alivia el dolor de cabeza.*

>> *Lavanda (*Lavandula officinalis*): relajante y liberadora, calma los sentimientos agitados. Ayuda en los trastornos del sueño y la tensión nerviosa. Eficaz contra el dolor de cabeza y los problemas cutáneos.*

>> *Jazmín (*Jasminum grandiflorum*): eleva el ánimo y tiene un efecto erotizante. Elimina los miedos y el abatimiento. Alivia los problemas cutáneos. Cuidado: ¡no utilizar durante el embarazo!*

>> *Naranja (*Citrus sinensis*): estimulante y refrescante, alivia el nerviosismo y el estrés. Estimula el apetito. Purifica y tensa la piel. Cuidado: ¡con la luz puede provocar la aparición de manchas!*

>> *Limón (*Citrus limon*): refrescante y vivificante. Es útil para el cansancio y la falta de concentración. Estimula el metabolismo cutáneo y tisular. Cuidado: ¡con la luz puede provocar la aparición de manchas!*

aceites esenciales naturales es elevado. No obstante, vale la pena pagar algo más por este regalo de la naturaleza, ya que los «aceites aromáticos» sintéticos nunca pueden desarrollar la acción de un verdadero aceite esencial y con frecuencia no son apropiados para su utilización sobre la piel.

Aceites de masaje aromáticos

Excepto contados casos, los aceites esenciales no deberían utilizarse nunca sin diluir, ya que sus componentes altamente concentrados pueden irritar la piel. Para la preparación del aceite de masaje se utilizan unas pocas gotas de aceite esencial diluidas en un aceite base, de manera que este toma el suave aroma del aceite esencial. Dado que el olfato necesita solo una cantidad mínima de moléculas aromáticas para percibir el olor, el efecto del aceite esencial no quedará limitado por este proceso de dilución. Todo lo contrario: dado que el aroma del aceite de masaje permanece en la piel tiempo después del masaje, el aceite esencial sigue desarrollando su acción de manera dosificada durante un prolongado espacio de tiempo.

No lo olvide: ¡realice una prueba de alergia!

En algunas personas los aceites esenciales, incluso muy diluidos, pueden provocar reacciones alérgicas cuando entran en contracto directo con la piel. Este fenómeno se observa principalmente en pieles sensibles o en personas que ya padecen otras alergias. Así pues, antes de utilizar un aceite de masaje por primera vez, realice siempre una prueba de alergia para evitar sorpresas desagradables: para ello, frote con las puntas de los dedos unas gotas del aceite de masaje ya preparado sobre el pliegue del codo. Si durante los diez minutos siguientes aparece enrojecimiento, escozor o picor, no debe utilizar ese aceite de masaje. Elija sencillamente otro aceite esencial como aromatizante o realice el masaje solo con el aceite de base correspondiente.

REGALE CALIDEZ Y BIENESTAR

La base de cualquier buen masaje procede de la naturaleza. Aceites vegetales como el aceite de sésamo, el aceite de almendras dulces, el aceite de jojoba, así como el aceite de coco y el aceite de oliva, son especialmente bien tolerados por la piel y contienen muchos ingredientes beneficiosos que hacen del masaje un acto beneficioso para la misma. El aceite penetra hasta las capas más profundas de nuestra piel y aumenta el placer sensorial durante el masaje. En la elección del aceite base también es importante tener en cuenta la calidad: los aceites de mejor calidad son naturales y sin refinar. Tienen una tolerancia cutánea

Antes de utilizar un aceite de masaje por primera vez compruebe siempre primero si su piel lo tolera bien.

especialmente buena y dejan las manos suaves, que resbalan sobre la piel sin sensación pegajosa.

En la parte práctica se indica el **aceite base** ideal para cada aceite de masaje. No obstante, usted puede sustituirlo por otro aceite base de buena calidad. Los siguientes aceites son especialmente adecuados para un masaje agradable:

> **Aceite de almendras:** en la zona mediterránea el aceite de almendras dulces se ha utilizado desde hace miles de años para el cuidado de la piel. Tiene un suave olor a almendras y es bien tolerado a nivel cutáneo, por lo que es muy adecuado para cualquier tipo de piel. El aceite de almendras protege y nutre la piel de manera especialmente intensa. Dado que no se conserva durante mucho tiempo, compre solo pequeñas cantidades y guárdelo siempre a resguardo de la luz y en un lugar fresco.

> **Aceite de sésamo:** en la tradición del masaje ayurvédico es uno de los aceites más utilizados debido a su acción equilibrante y nutritiva. El aceite de sésamo tiene un aroma especiado y calienta y fortalece el cuerpo.

> **Aceite de jojoba:** en realidad este «aceite» es una cera que a temperatura ambiente se mantiene en estado líquido. El aceite de jojoba aporta elasticidad a la piel y su olor es neutro. Se conserva bien durante mucho tiempo. Si se conserva en un

Ayurveda: el arte supremo del aceite de masaje

La utilización de aceites de gran calidad en el masaje ayurvédico es de especial importancia. Con frecuencia, en el masaje ayurvédico de todo el cuerpo llega a utilizarse hasta medio litro de aceite de masaje. En este caso, el aceite de masaje tiene como mínimo tanta importancia como el propio masaje. Antes del masaje se ha de calentar bien. Con frecuencia contiene aditivos fitoterapéuticos que le confieren una acción especialmente intensa. En este tipo de masaje, el aceite no sirve solo para proteger la piel, sino que también tiene un efecto calmante sobre los nervios, fortalece los huesos, desintoxica los tejidos y estimula en general la salud.

lugar frío se solidifica, pero con el simple calor de las manos se deshace rápidamente.

> **Aceite de coco:** aporta al masaje un soplo del Pacífico. El aceite de coco se solidifica a bajas temperaturas y debe calentarse con las manos.

> **Aceite de oliva:** cuando se trata de ganar tiempo puede hacer una incursión en la cocina: el aceite de oliva virgen extra es muy adecuado para el masaje. En este caso también se cumple que el beneficio para la piel

será mayor cuanto mayor sea la calidad del aceite.

ALIVIAR EL DOLOR Y OTRAS MOLESTIAS

El masaje suave, sobre todo realizado por otra persona, activa las fuerzas autocurativas del organismo que calman mente y espíritu, aportan nueva fuerza e incluso pueden aliviar el dolor.

Dado que en un masaje el contacto tiene lugar de una manera especialmente empática, su efecto curativo es incluso mayor. La práctica regular de masajes tiene un efecto positivo sobre el sistema nervioso

Los aceites de buena calidad hacen disfrutar más del masaje y con frecuencia refuerzan su acción.

vegetativo y la función de los órganos internos. Protege la piel y desintoxica el tejido conjuntivo, previene la aparición de tensión muscular y alivia el dolor muscular y articular. Consecuentemente, reduce la producción de hormonas del estrés y contribuye a la desaparición de la tensión emocional.

El poder del masaje

Se ha demostrado científicamente que el masaje estimula la producción entre otras de la hormona oxitocina, la cual tiene un efecto analgésico y antiestrés. Durante mucho tiempo esta hormona fue conocida exclusivamente por su acción de estimulación de la formación de leche y aceleración del proceso del parto. Hoy en día se sabe que además favorece el vínculo entre madre e hijo, así como cualquier otra relación entre personas. Por otra parte, contribuye a controlar el estrés y los miedos, alivia el dolor y favorece incluso los procesos de crecimiento y curación del organismo.

Antes de empezar...

Muchos ejercicios rápidos de masaje pueden ser utilizados y disfrutados de manera sencilla y prácticamente en cualquier lugar. Pero antes de empezar con el primer masaje debería leer los consejos de las páginas siguientes: en ellas encontrará la información más importante sobre cómo aplicar de manera correcta el programa breve. Más adelante, también puede recurrir de nuevo a estas páginas cuando tenga alguna pregunta o se sienta inseguro al realizar algún masaje.

BREVE PERO NO ACELERADO

Los ejercicios rápidos de masaje se caracterizan por su brevedad –aplicando el masaje a un ritmo normal ninguno de los masajes breves siguientes dura más de diez minutos–. Sin embargo, esto no significa que deba realizar los ejercicios rápidos de masaje lo más rápidamente posible. Todo lo contrario: incluso el masaje relámpago más rápido está pensado para disfrutar de principio a fin. Los ejercicios rápidos de masaje le ofrecen la posibilidad de olvidarse por unos momentos de las prisas y la locura de la vida cotidiana. Han sido elegidos de tal manera que puede masajear y relajarse con la mayor tranquilidad y, a pesar de todo, acabar el masaje en pocos minutos. En los ejercicios rápidos de

masaje, más importante que controlar el tiempo es encontrar su propio ritmo. Así pues, si realiza el masaje en algo más o menos del tiempo que indica el libro, no se preocupe. Lo más importante es que se tome el tiempo suficiente para disfrutar correctamente del masaje, ya que solo así los ejercicios rápidos de masaje podrán cumplir su objetivo.

El arte de la atención

Cuán relajante y agradable un masaje sea depende sobre todo de la capacidad de compenetración del masajista: cuanta mayor sea la precisión con que sus dedos palpen los músculos y los contornos del cuerpo y cuanto mayor sea su sensibilidad para detectar las zonas tensas y dolorosas, mejor podrá adaptar el masaje a las necesidades de su pareja. Los verdaderos artistas del masaje perciben a través de sus dedos cómo le va a la persona que tiene bajo sus manos y qué técnica es la más adecuada para cada zona del cuerpo. Para realizar los masajes también es necesaria, sobre todo, una cosa: ¡atención! Así pues, al realizar el masaje concéntrese totalmente en lo que está haciendo y cierre todo lo que pueda su mente a cualquier distracción. No importa si el masaje lo realiza sobre usted mismo o sobre otra persona: sumérjase en lo que

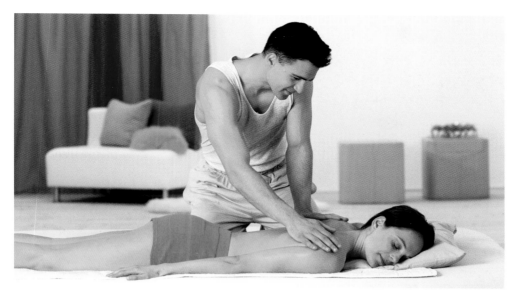

Al realizar un masaje atienda siempre a cómo reacciona su pareja ante la manipulación.

sus dedos perciben y preste atención a la reacción de su cuerpo o el de su pareja. Sin embargo, no olvide el objetivo del masaje: ¿quiere relajar la tensión, disfrutar o aliviar algún dolor? Si se acopla también internamente al tiempo de su masaje, sus manos encontrarán con mucha mayor facilidad la intensidad correcta de la presión y de la manipulación.

Tratarse a uno mismo

Con los ejercicios rápidos de masaje no precisa necesariamente a un compañero. Muchos de los programas breves incluidos en este libro también son válidos para el autotratamiento. Cuando realice un automasaje, dedique a su cuerpo toda la atención que quizás no le dedica suficientemente en otros momentos. Muchas personas tienden a dedicarse intensamente a las necesidades

de sus personas queridas pero no hacen caso de su propio estrés o del dolor cervical o de pies hasta que las molestias son tan importantes que ya no pueden seguir ignorándolas.

Con un breve automasaje puede prevenir eficazmente esta situación; además, aprenderá a prestar más atención a su cuerpo y a plantar cara al estrés u otras molestias.

Tratar a la pareja

El masaje constituye una forma especialmente eficaz de prestar atención y dedicación a otra persona. Así pues, solo debería compartirlo con personas que le sean simpáticas y que respondan positivamente a esta atención. Incluso los masajes superficiales, aunque sea por encima de la ropa, constituyen una forma intensa de contacto físico. Los sentimientos negativos serán percibidos como mínimo por una de las partes como malestar y despojarán de sentido al masaje; es decir, hay que prestar una atención llena de cariño al otro. Incluso en la pareja es preferible posponer el masaje si se acaban de pelear. Por el contrario, después de una reconciliación puede ser un maravilloso regalo.

BUENOS MOMENTOS, MALOS MOMENTOS

Aunque los ejercicios rápidos de masaje sean tan breves, debería reservarse algunos minutos sin interrupciones para su realización. Muchos de los minimasajes son tan sencillos y rápidos que puede realizarlos usted mismo en una breve pausa, sea en el trabajo o en casa, en el parque o de visita a los suegros. Sin embargo, lo importante es que no realice el masaje mientras se dedica a otras cosas, sino que se concentre exclusivamente en el mismo. No tenga vergüenza de cerrar la puerta, colgar un cartel de «no molestar» o dejar a los niños de lado durante unos minutos. La recompensa por esta pequeña pausa es que después podrá dedicarse nuevamente a sus tareas relajado y con renovadas energías.

En el caso de los masajes con aceite, a veces es necesario un poco de tiempo tras los mismos para que el aceite despliegue su acción o para darse una breve ducha. Esta circunstancia viene siempre especificada en el recuadro de cada uno de los masajes, de manera que de un primer vistazo podemos saber si tenemos suficiente tiempo. O antes de ducharse por la mañana tómese un par de minutos y de esta manera podrá empezar el día más relajado.

LUGARES ADECUADOS Y NO ADECUADOS

La mayoría de los ejercicios rápidos de masaje puede realizarse prácticamente en cualquier lugar; lo importante es que pueda sentarse o estirarse cómodamente. Para cualquier masaje lo ideal es un lugar con un ambiente agradable y tranquilo. En el parque puede ser un banco alejado de las zonas más transitadas.

Para cualquier masaje es importante que la temperatura sea agradable. La persona que durante el masaje pasa frío, se trate del que lo recibe o del que lo realiza, no puede abandonarse al beneficio del mismo. En caso necesario pueden utilizarse toallas o mantas con las que mantener calientes las partes del cuerpo que no están siendo masajeadas.

EL APOYO CORRECTO

El apoyo correcto para un masaje profesional es una camilla de masaje. Pero no se preocupe: también puede improvisar un buen apoyo colocando mantas mullidas o un futón sobre el suelo. La cama puede parecer un sitio ideal para el masaje, pero tiene sus limitaciones: como la persona a la que se le practica el masaje descansa sobre una superficie blanda, muchas manipulaciones pierden fuerza y eficacia y, con frecuencia, su realización es complicada. Los masajes en posición sentada deben realizarse preferiblemente sentado en un taburete o simplemente en el suelo, ya que en un sillón se limita la libertad de movimientos.

Al realizar cualquier masaje con aceite u otras sustancias, coloque una toalla grande debajo para proteger la superficie. ¡Las manchas de aceite son difíciles de limpiar! Por otra parte, una toalla enrollada puede servir para descargar las articulaciones de la persona que recibe el masaje cuando está echada. Para ello, colóquela bajo los tobillos cuando la persona esté boca abajo y bajo las rodillas cuando se halle boca arriba. Puede apoyar la cabeza sobre un pequeño cojín.

ACEITE DE MASAJE: LA GUINDA DEL PASTEL

Aunque muchos ejercicios rápidos de masaje se realizan sin aceite de masaje, no debería descartar el beneficio de la eventual utilización de uno. El aceite permite que las manos resbalen con mayor suavidad sobre el cuerpo, cuida la piel y su aroma refuerza el efecto del masaje. Por regla general, los aceites de masaje están compuestos por un aceite base (pág. 22) aromatizado con uno o varios aceites esenciales (pág. 20). Los más adecuados son las mezclas de aceite

propuestas en cada caso, las cuales puede preparar fácilmente en casa. Sin embargo, también puede utilizar un aceite de masaje ya preparado o experimentar con distintos ingredientes. En este último caso, para 10 ml de aceite base utilice un máximo de 5 gotas de aceite esencial.

Al comprar el aceite de masaje u otros ingredientes tenga en cuenta la calidad. Solo los aceites naturales tienen una tolerancia cutánea realmente buena y consiguen el efecto deseado. Si los adquiere de calidad ecológica también tendrá la seguridad de que hasta su piel llegan solo los ingredientes deseados. Mezcle el aceite de masaje solo en pequeñas cantidades y guarde todos los componentes bien cerrados en un lugar fresco y oscuro. Algunos aceites base se enrancian con facilidad, por lo que dejan de ser adecuados para el masaje. Así pues, con frecuencia es mejor comprarlos en pequeñas cantidades.

Durante el embarazo

Muchos aceites esenciales no son adecuados para su utilización durante el embarazo. En este caso, en lugar del aceite de masaje recomendado puede optar por el aceite base sin mezclar. Básicamente, durante el embarazo debe evitar la utilización de cualquier técnica de presión a nivel abdominal y, asimismo, el resto del cuerpo debe tratarse con especial cuidado y suavidad.

Los puntos más importantes de un vistazo

El propósito de los ejercicios rápidos de masaje es hacerle lo más sencillo posible el arte del masaje. Así pues, en esta página doble hemos resumido para usted los datos más importantes.

¿CUÁNDO, DÓNDE Y CÓMO?

> Realice el masaje en un lugar tranquilo. La mayor parte de los ejercicios rápidos de masaje pueden realizarse prácticamente en cualquier lugar, siempre que no haya interrupciones durante el masaje.

> Inmediatamente después de una comida abundante deberían evitarse los masajes abdominales. Después de una intervención quirúrgica o un traumatismo, la zona afectada solo debe masajearse con autorización del médico o cuando esté completamente curada.

> No realice el masaje sobre zonas cutáneas con heridas o irritadas, ni tampoco en zonas con eccemas, infecciones por hongos o inflamadas.

> En caso de embarazo o enfermedades graves el masaje siempre debe realizarse con la autorización del médico. Durante el embarazo no debe masajearse la zona del bajo vientre, sino simplemente untarla suavemente con aceite.

> El estrés, la tensión o el abatimiento no suponen ningún impedimento para el masaje –por el contrario, incluso hará que se sienta mejor con mayor rapidez–. No obstante, especialmente en estas situaciones, debe tomarse su tiempo para el masaje, con el fin de poder sentir su efecto.

> Concéntrese exclusivamente en el masaje. Incluso cuando son breves, los ejercicios de masaje precisan su total atención para poder desarrollar su efecto completamente.

> No se sienta presionado por el tiempo. Los ejercicios rápidos de masaje son tan breves que es imprescindible que aproveche cada segundo sin mirar continuamente el reloj o pensar en lo que tiene que hacer después.

> Caliéntese las manos antes de realizar el masaje. Fróteselas hasta que estén agradablemente calientes, ya que un masaje con las manos frías no es nada agradable. Procure tener las uñas cortas y quítese anillos y pulseras antes de empezar.

> Adopte una postura cómoda durante la realización del masaje. Si está en tensión no podrá realizar correctamente el masaje y transmitirá esa tensión a su compañero.

> Empiece siempre el masaje con una presión suave y adecúe la presión a las reacciones de la persona que lo recibe.

En caso de duda pregúntele qué presión le resulta agradable.

> Al realizar el masaje, preste también atención a la respiración de su «paciente» y adapte sus movimientos a su ritmo. En algunas técnicas de masaje también puede adaptar la presión a la respiración. Cuando la persona que recibe el masaje expulsa el aire, aumente con cuidado la presión y redúzcala con la inspiración.

> Los movimientos fluidos aumentan el placer del masaje. Entre un movimiento y otro no separe las manos del cuerpo, ya que de esa manera se interrumpe el ritmo.

> Cuanto más frecuentemente realice los masajes, tanto más fácil le será dominar las distintas técnicas y cada vez disfrutará más de los mismos. Los ejercicios rápidos de masaje son ideales para integrarlos con regularidad incluso en la agenda más apretada. De esta manera puede regalarse algo bueno de manera rápida y sencilla.

MASAJES CON ACEITE DE MASAJE

> Utilice los aceites de masaje recomendados o sustitúyalos por un aceite de masaje de calidad de su elección. En caso de que no tenga a mano ningún aceite, opte por otro tipo de masaje, ya que las técnicas correspondientes no pueden realizarse adecuadamente sin aceite.

En el masaje de pareja, la compenetración por parte de la persona que realiza el masaje es importante.

> Antes de utilizar un aceite de masaje por primera vez realice una prueba de alergia en el pliegue del codo (pág. 20).

> Caliente ligeramente el aceite de masaje entre sus manos antes de aplicarlo sobre la piel.

> Coloque debajo una toalla grande para evitar las manchas de aceite. Deje que el aceite se absorba por completo en la piel o dúchese para eliminar los restos: la piel queda aceitosa después del masaje y puede manchar la ropa.

Ejercicios rápidos de masaje:
la práctica

Masaje mimoso
con aceite de rosas

¿QUÉ CARACTERIZA ESTE MASAJE?

> El masaje mimoso con aceite de rosas le envuelve en pocos segundos en el tierno y sensual aroma de estas flores. De esta manera hace desaparecer las tensiones y el mal humor y le ayuda a relajarse y a disfrutar de nuevo del lado bonito de la vida.

ASÍ SE REALIZA

El aroma del aceite de rosas puede desplegar su acción mejor si se masajea, los hombros y el pecho en posición de sentado.

> Ponga el aceite de masaje sobre la palma de su mano y repártalo con suaves movimientos sobre los hombros, la nuca y el escote.

> Masajee primero los hombros: en primer lugar frote el hombro izquierdo algunas veces con la palma de la mano, desde la línea de nacimiento del pelo del principio de la cabeza hasta la articulación del hombro. Para ello adapte perfectamente la mano al hombro.

> Seguidamente, deje resbalar lentamente la mano desde la línea de nacimiento del pelo hasta la articulación del hombro, mientras amasa suavemente los músculos con los dedos y la almohadilla de la mano.

Tiempo: *unos 4 minutos.*
Autotratamiento: *sí.*
Tratamiento en pareja: *sí.*
Aceite de masaje: *mezclar 1 cucharada de aceite de almendras con 2 gotas de aceite esencial de rosas; realice primero una prueba de alergia (pág. 20).*
Otros: *masajear el aceite hasta que se absorba por completo o dejar que se absorba después del masaje.*
Acción: *calmante y equilibrante, útil en caso de nerviosismo; alivia el dolor de hombros y cervical.*

> Repita el masaje en el otro hombro.

> En el pecho frote suavemente con las yemas de los dedos desde el esternón hacia el hombro. Empiece a la altura de la clavícula y repita el movimiento cada vez un poco más profundamente.

> Coloque la mano sobre la musculatura pectoral de manera que las puntas de los dedos descansen en la axila y frote con el pulgar hacia la misma.

> En el masaje en pareja puede hacer este movimiento en ambos lados simultáneamente, mientras que en el automasaje debe realizarlo primero en un lado y después en el otro.

Masaje rápido del cuero cabelludo

Tiempo: *unos 2 minutos*.
Autotratamiento: *sí*.
Tratamiento en pareja: *sí*.
Aceite de masaje: *sin aceite*.
Acción: *relajante y revitalizante, puede prevenir el dolor de cabeza y aliviarlo*.

¿QUÉ CARACTERIZA ESTE MASAJE?

> Un rápido masaje de cuero cabelludo entre horas puede generar mucha energía nueva. Constituye sobre todo un placer cuando está mucho rato sentado ante su escritorio o ante la pantalla de su ordenador. Dado que este masaje no precisa aceite, no es necesario que después se lave el pelo y puede realizarlo prácticamente en cualquier lugar. No obstante, el masaje convertirá un elegante recogido o el pelo engominado en un desenfadado pelo «a lo león».

ASÍ SE REALIZA

Es preferible realizar el masaje rápido de cuero cabelludo en posición de sentado. Si aplica el masaje a su pareja debe colocarse detrás de ella. Si se trata de un automasaje debe vigilar que su espalda y su nuca permanezcan rectas.

> Coloque las manos planas y con los dedos juntos sobre la frente, con las puntas de los dedos enfrentadas.
> Deslice sus manos por la cabeza y hasta la nuca, primero muy suavemente y después aumentando progresivamente la presión.
> Seguidamente, masajee la cabeza realizando pequeños movimientos circulares con las puntas de los dedos.

Para ello, separe los dedos y manténgalos ligeramente inclinados. El movimiento recuerda al que se realiza al lavarse la cabeza: imagine que quiere enjabonarse bien el pelo.

> Proceda de esta manera y masajee varias veces la cabeza desde la frente hasta la nuca, primero por el centro y después hacia los lados, por encima de las orejas.
> Por último, deslice suavemente la yema de los dedos por las sienes con movimientos circulares.

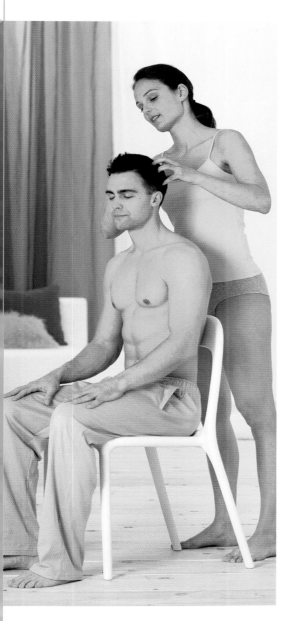
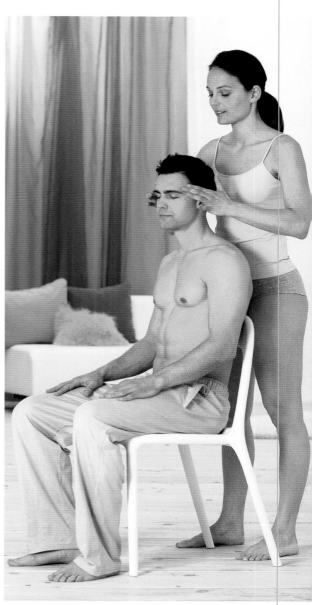

Masaje vibratorio relajante

¿QUÉ CARACTERIZA ESTE MASAJE?

> En el masaje vibratorio los músculos no son amasados o presionados, sino que se los hace vibrar mediante rápidos movimientos de las manos. Este movimiento suelta los músculos, alivia la tensión y llena el cuerpo de energías renovadas.

ASÍ SE REALIZA

El relajante masaje vibratorio es especialmente adecuado para la espalda y la parte superior de los brazos. La persona que recibe el masaje se

Tiempo: *unos 3 minutos*.
Autotratamiento: *no*.
Tratamiento en pareja: *sí*.
Aceite de masaje: *sin aceite*.
Acción: *estimulante y energizante, deshace las tensiones y despierta el espíritu vital*.

echa boca abajo y coloca sus antebrazos debajo o al lado de la cabeza.
La persona que realiza el masaje se arrodilla a su lado.
> Pida a su pareja que se relaje completamente y que abandone su cuerpo al movimiento de sus manos.

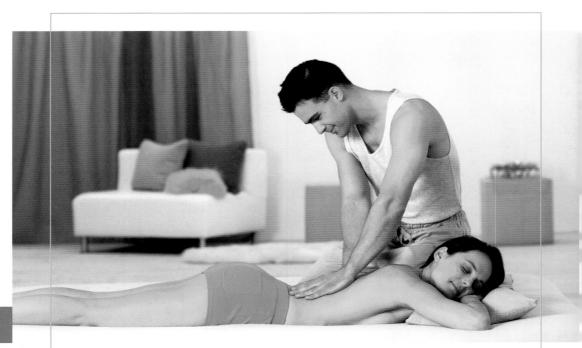

> Coloque sus manos planas y con los dedos juntos por encima del trasero de la persona que recibe el masaje, a derecha e izquierda de la columna vertebral.

> Deslice sus manos con oscilaciones laterales mientras aplica pequeños y rápidos movimientos de sacudida realizados con los brazos. Al hacerlo, aplique la suficiente presión para que la vibración se transmita a la musculatura de la espalda.

> Lleve sus manos lentamente hacia arriba hasta llegar a los hombros para masajear toda la espalda.

> Repita este movimiento varias veces.

> Dese la vuelta de manera que pueda colocar las manos planas sobre los brazos de su compañero.

> Coloque sus manos con el codo estirado sobre los brazos y deslícelas con movimientos de sacudida hasta los hombros por encima de la musculatura para que la vibración se transmita a esta.

> Repita este movimiento varias veces.

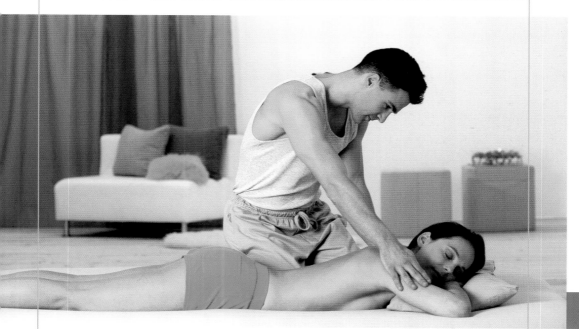

Ejercicio de masaje de reflexología podal

¿QUÉ CARACTERIZA ESTE MASAJE?

La técnica de masaje global de la reflexología podal se basa en la observación de que los pies, a través de las zonas reflejas, están en conexión con todo el cuerpo. Determinadas zonas, sobre todo en la planta del pie, están conectadas con diversos órganos y zonas del cuerpo. Dado que la reflexoterapia puede aplicarse de forma rápida y sin preparación previa, es ideal para regalarse algo bueno entre horas. Este ejercicio de reflexología podal no ha sido pensado para el tratamiento de molestias concretas, sino para equilibrar todo el cuerpo y de esta manera aumentar el bienestar general.

Tiempo: *unos 7 minutos.*
Autotratamiento: *sí.*
Tratamiento en pareja: *sí.*
Aceite de masaje: *sin aceite de masaje.*
Acción: *relajante y equilibrante, alivia el estrés y las molestias provocadas por este, como el dolor de cabeza.*

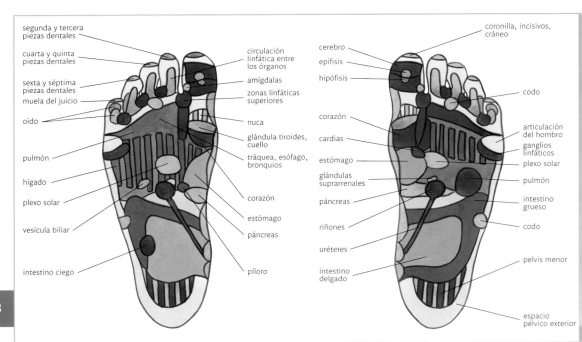

segunda y tercera piezas dentales
cuarta y quinta piezas dentales
sexta y séptima piezas dentales
muela del juicio
oído
pulmón
hígado
plexo solar
vesícula biliar
intestino ciego

circulación linfática entre los órganos
amígdalas
zonas linfáticas superiores
nuca
glándula tiroides, cuello
tráquea, esófago, bronquios
corazón
estómago
páncreas
píloro

coronilla, incisivos, cráneo
cerebro
epífisis
hipófisis
corazón
cardias
estómago
glándulas suprarrenales
páncreas
riñones
uréteres
intestino delgado

codo
articulación del hombro
ganglios linfáticos
plexo solar
pulmón
intestino grueso
codo
pelvis menor
espacio pélvico exterior

ASÍ SE REALIZA

En el masaje de reflexoterapia el pie se apoya en una mano y el masaje se realiza con la otra. En el caso del automasaje, en posición de sentado coloque el pie sobre el muslo de la pierna del lado contrario. Cuando el masaje se realiza en pareja, la persona que lo recibe también puede estirarse cómodamente boca arriba.

> Empiece el masaje por el pie derecho y seguidamente masajee el pie izquierdo.

> Como preparación frote el pie enérgicamente algunas veces con la mano plana desde los dedos hasta el talón para reducir las cosquillas (fotografía derecha).

> Seguidamente, empiece el masaje de los dedos. Amase cada dedo por todos los lados desde la articulación hasta la punta. En la zona de los dedos se encuentran las zonas reflejas de la cabeza, los ojos y los oídos. La zona refleja del cerebro se encuentra en la almohadilla del dedo gordo y al masajearla se consigue, entre otras cosas, aumentar la capacidad de concentración.

> Ahora, coloque la mano alrededor del pie de manera que el pulgar estirado quede inmediatamente por debajo de las almohadillas del pie. Apriete el pie, de forma que se forme una ligera bóveda sobre su pulgar. De esta manera se activan sobre todo las zonas reflejas de las vías respiratorias (ilustración de la izquierda).

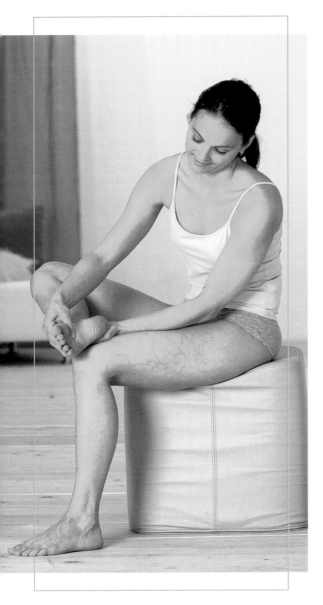

> Seguidamente, masajee el borde interno del pie desde el dedo gordo hasta el talón. Para ello, realice pequeños movimientos circulares con la yema del pulgar ejerciendo una suave presión (fotografía derecha). En el borde interno del pie se encuentra la zona refleja de la columna vertebral, desde la cabeza (dedo gordo) hasta la pelvis (talón).

> Masajee de la misma manera toda la planta del pie, dibujando líneas paralelas desde la base de cada dedo hasta el talón, realizando pequeños círculos con el pulgar hasta llegar al borde externo del pie. De esta manera se estimulan suavemente todas las zonas reflejas.

> Si siente una zona dura o rígida, manténgase unos momentos más en ella, prestándole una especial atención. Esto es especialmente importante en el talón, ya que ahí se localiza la zona refleja de la pelvis, cuya importancia para nuestro bienestar con frecuencia no se tiene suficientemente en cuenta.

> Para finalizar el masaje de reflexología podal, sujete el pie entre las dos manos planas, de manera que una mano descanse sobre la planta del pie y la otra sobre el empeine.

> Permanezca así unos momentos para que pueda sentir el calor y seguidamente deslícelas como si fueran una pluma y simultáneamente sobre los dedos.

> Repita el masaje en el pie izquierdo.

Información

Para estimular las zonas reflejas del pie y de esta manera todo el organismo, la vida cotidiana también brinda algunas opciones adecuadas. En las estaciones cálidas se recomienda andar descalzo siempre que se pueda. No importa si es sobre arena, gravilla o un prado: andar descalzo es como un pequeño masaje que no solo es beneficioso para la postura corporal, sino que también activa las zonas reflejas de los pies. Variante invernal: los baños calientes de pies tienen una acción positiva sobre las zonas reflejas y aportan un beneficioso calor tanto a los pies como a los órganos.

Breve masaje tailandés

¿QUÉ CARACTERIZA ESTE MASAJE?

Lo característico del masaje tailandés es que la persona que realiza el masaje no aplica solo sus manos sino también todo el cuerpo y el peso de este. De esta manera, con frecuencia hace adoptar determinadas posturas a la persona que recibe el masaje; por este motivo, en ocasiones se habla de «yoga pasivo» refiriéndose al masaje tailandés.

ASÍ SE REALIZA

Este breve masaje tailandés se limita a la parte posterior del cuerpo. La persona que recibe el masaje se echa boca abajo, estira los brazos junto al cuerpo o coloca las manos bajo la cabeza. Agáchese con una rodilla en el suelo y la otra flexionada por encima del trasero de su compañero de manera que el centro de gravedad de su cuerpo quede por encima de este.

> Coloque las almohadillas de sus manos en la parte inferior de su espalda, a derecha e izquierda de la columna vertebral, con las puntas de los dedos señalando hacia afuera.

> Apoye el peso de su cuerpo sobre sus manos, al ritmo de la respiración de la persona que recibe el masaje, mientras realiza un ligero movimiento oscilatorio de atrás a delante: durante la espiración intensifique suavemente la presión y suéltela durante la

Tiempo: unos 4 minutos.
Autotratamiento: no.
Tratamiento en pareja: sí.
Aceite de masaje: sin aceite.
Acción: relajante y revitalizante, alivia el dolor de espalda y la tensión.

inspiración. Pida a la persona que recibe el masaje que, sobre todo al principio, le diga qué intensidad de presión le resulta agradable.

> De esta manera realice un masaje a lo largo de la columna vertebral hasta los hombros y nuevamente hacia atrás por encima del trasero.

> Seguidamente, agáchese en la misma posición junto al trasero de su compañero, esta vez mirando hacia sus pies. Para ello, mantenga levantada la pierna más alejada del cuerpo.

> Coloque la mano más alejada del cuerpo sobre el empeine de los pies, levántelos y llévelos hacia el trasero. Al mismo tiempo, coloque la otra mano por encima del trasero, en el centro de la espalda y presione suavemente en dirección a las piernas.

> Mediante un ligero balanceo de su cuerpo varíe la presión de sus manos, presionando solo lo suficiente para que a su compañero le resulte agradable.

> Mantenga el estiramiento alrededor de un minuto y devuelva con cuidado los pies a su posición inicial.

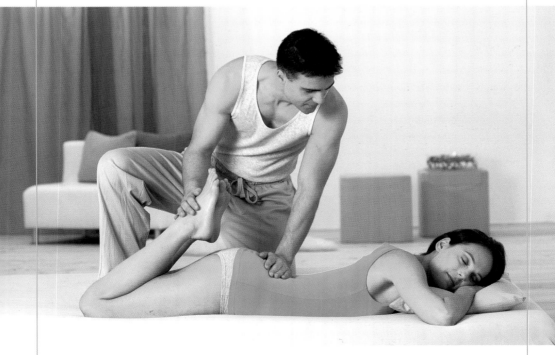

Breve masaje con los rodillos de masaje

¿QUÉ CARACTERIZA ESTE MASAJE?

Los rodillos, bolas y bastones de masaje son útiles herramientas para un estimulante masaje. Estimulan la circulación y constituyen una cómoda alternativa a los movimientos de amasado y fricción de las manos. Las cintas de masaje que contienen pequeños rodillos o bolas de masaje están especialmente pensadas para el autotratamiento de la espalda; con ellas también podrá realizar el siguiente masaje en solitario.

ASÍ SE REALIZA

El masaje puede realizarse sentado o estirado.

> Empiece en la parte baja de la espalda, a un lado de la columna vertebral, y mueva los rodillos de masaje hacia arriba, en dirección a la nuca.

> Baje un poco y suba de nuevo un poco más de manera que masajee cada porción de la espalda varias veces.

> Una vez llegue a la nuca, realice el mismo masaje al otro lado de la columna vertebral.

> Seguidamente, coloque nuevamente

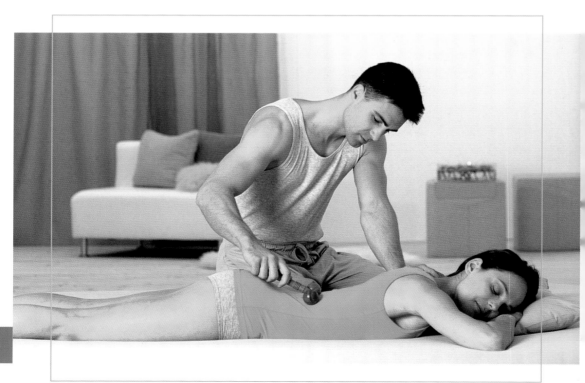

los rodillos de masaje en la parte baja de la espalda, a un lado de la columna vertebral, y deslícelos suavemente hacia afuera. Proceda de esta manera hasta llegar inmediatamente por debajo del omóplato.

> Por encima del omóplato deslice los rodillos realizando una presión muy suave, ya que el masaje sobre los huesos en seguida puede resultar desagradable. En los hombros puede aumentar nuevamente la intensidad del masaje.

> Repita el masaje al otro lado de la columna vertebral

Tiempo: *unos 3 minutos.*
Autotratamiento: *sí (con una cinta de masaje).*
Tratamiento en pareja: *sí.*
Aceite de masaje: *sin aceite.*
Acción: *relajante y estimulante, aumenta la circulación; ideal para tensiones.*

Masaje de reflexología manual entre horas

¿QUÉ CARACTERIZA ESTE MASAJE?

El masaje de reflexología manual se basa en los mismos principios que la reflexología podal (véase pág. 38), es decir, en la conexión refleja entre determinadas zonas de la mano y ciertos órganos y zonas corporales alejados.

El masaje de las zonas reflejas de la mano es incluso más sencillo de realizar y puede aplicarse en una breve pausa en la oficina.

ASÍ SE REALIZA

En el masaje de reflexología manual se masajea primero la mano derecha y después la izquierda de la misma manera.

> Empiece el masaje cogiéndose la mano sin apretar y realizando movimientos circulares varias veces con el pulgar aplicando una presión fuerte.

> Seguidamente masajee desde el borde externo de la palma de la mano dibujando una línea recta desde la base de cada dedo hasta la muñeca, presionando fuertemente con el pulgar y el dedo índice.

> Siga los espacios entre los huesos metacarpianos y ejerza una presión muy suave sobre los propios huesos. En la palma de la mano se encuentran las zonas reflejas de los órganos internos,

Tiempo: *unos 4 minutos.*
Autotratamiento: *sí.*
Tratamiento en pareja: *sí.*
Aceite de masaje: *sin aceite.*
Acción: *relajante y equilibrante, reduce el estrés y alivia las molestias provocadas por el estrés.*

los cuales son suavemente estimulados por el masaje.

> Frote varias veces el borde de la mano con la yema del pulgar hasta alcanzar la muñeca –en esta zona se localiza la zona refleja de la columna vertebral–.

> Por último, masajee los dedos cogiéndolos entre el pulgar y el índice, desde la base hasta la punta teniendo cuidado de masajear todas sus partes. Empiece con el pulgar y realice presión entre los dedos.

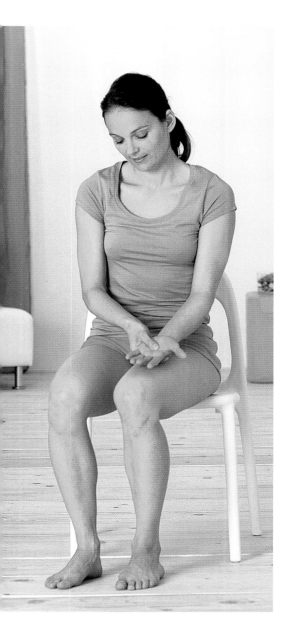

Masaje abdominal japonés

¿QUÉ CARACTERIZA ESTE MASAJE?

En nuestra sociedad occidental, el abdomen solo se tiene en cuenta para que se vea lo menos posible: debe ser plano y duro y no debe verse. En otras culturas, por el contrario, el abdomen es considerado mucho más centro de salud y bienestar y fuente central de energía del cuerpo.

En Japón, por ejemplo, desde tiempos ancestrales el abdomen ha tenido gran importancia. Se conoce como *hara* y constituye el centro de la energía vital y de la fuerza que permite a las personas mantenerse de pie sobre la tierra. El *hara* corresponde al centro de gravedad del cuerpo y desempeña un importante papel en muchos ámbitos de la cultura japonesa.

En las artes marciales japonesas y en los círculos de sumo, el *hara* es el centro a partir del cual se genera el movimiento y la fuerza. En la zona abdominal y pélvica se encuentra también el punto energético *tanden*, el cual es considerado la fuente

de la fuerza vital. En el masaje abdominal este también es activado suavemente.

ASÍ SE REALIZA

Si quiere regalarse a sí mismo un beneficioso y estimulante masaje abdominal, es recomendable llevarlo a cabo sentado, mientras que si se lo hace a su pareja es mejor que esta se estire boca arriba.

> En primer lugar caliéntese las manos frotándose las palmas brevemente una contra la otra. Seguidamente, coloque las manos planas, una junto a la otra, sobre el abdomen y note por unos momentos el calor, el contacto y la respiración, para conectar con el masaje (fotografía izquierda).

> Masajee el abdomen en suaves círculos: coloque la mano plana por debajo del ombligo y realice movimientos circulares en el sentido de las agujas del reloj unas 30 veces sobre todo el abdomen. El centro del círculo es la zona situada inmediatamente por debajo del ombligo.

> Coloque las almohadillas de las manos a derecha e izquierda y deslícelas una contra la otra, de manera que los músculos rectos del abdomen queden

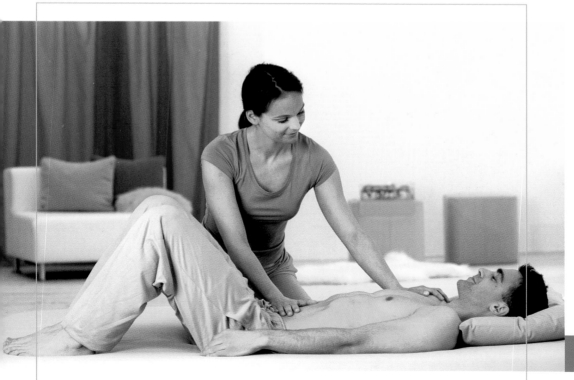

apretados entre las manos. Ejerza poca presión, ya que el masaje no debe resultar doloroso.

> Realice el masaje de esta manera desde el borde inferior del arco costal hasta la altura de la articulación de la cadera.

> Ahora, haga vibrar el abdomen. Para ello, coloque los dedos ligeramente separados y planos a izquierda y derecha del ombligo sobre la pared abdominal.

> Sacuda las manos con rápidas y pequeñas oscilaciones. Los dedos no se deslizan sobre la piel, sino que

Tiempo: *unos 7 minutos.*
Autotratamiento: *sí.*
Tratamiento en pareja: *sí.*
Aceite de masaje: *sin aceite.*
¡Tenga en cuenta!: *realícelo solo con el estómago vacío. No lo realice durante la menstruación o el embarazo, así como después de una intervención quirúrgica.*
Acción: *aporta nueva energía, equilibra la digestión, ayuda a combatir el estreñimiento y los trastornos digestivos.*

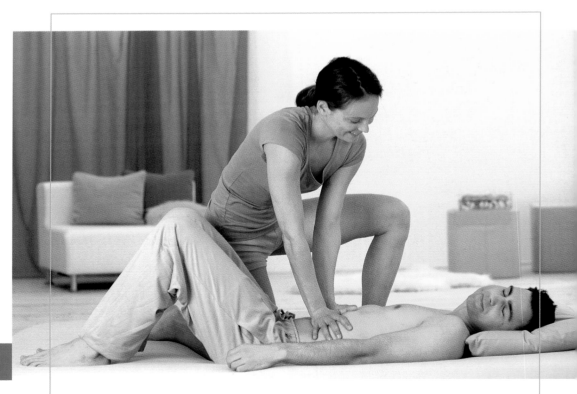

transmiten el movimiento directamente sobre la musculatura abdominal.

> Seguidamente, active el punto energético tanden. Para ello coloque las puntas de los dedos índice y corazón sobre el abdomen, de dos a tres dedos por debajo del ombligo (fotografía inferior derecha). Este punto energético desempeña un papel importante por ejemplo en el aikido, ya que se considera el centro de la persona.

> Frote el punto durante aproximadamente medio minuto en el sentido de las agujas del reloj. Ponga cuidado en no presionar el abdomen, sino simplemente masajee suavemente la piel.

> Para finalizar, coloque de nuevo ambas manos planas y juntas sobre el abdomen como al inicio del masaje. De esta manera podrá sentir el efecto del mismo y transmitir durante unos momentos más el calor de las manos al abdomen.

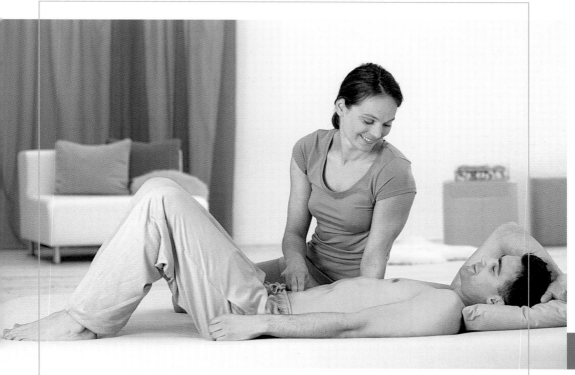

Masaje tibetano de zonas energéticas

¿QUÉ CARACTERIZA ESTE MASAJE?

El masaje de zonas energéticas es originario de la medicina tibetana, la cual es poco conocida en nuestra sociedad. Tiene su origen en las tradiciones chamánicas del antiguo Tíbet, aunque también tiene influencias del ayurveda indio y de la medicina tradicional china. A primera vista, el masaje tibetano de zonas energéticas recuerda a la digitopuntura originaria de China (véase pág. 84): en ambas tradiciones de masaje no se masajean los músculos, sino que se tratan determinados puntos del cuerpo. No obstante, el masaje tibetano de zonas energéticas se limita a un número reducido de puntos energéticos, fácilmente detectables y muy eficaces. Así pues, las zonas energéticas del masaje tibetano son más amplias que las de la digitopuntura. De esta manera, incluso los principiantes pueden encontrarlas y tratarlas con facilidad.

Al contrario que la digitopuntura, las zonas no son presionadas, sino masajeadas en suaves círculos con las puntas de los dedos índice y corazón. Para ello se utiliza una pasta especial de masaje que refuerza la acción del mismo.

ASÍ SE REALIZA

En este ejercicio de masaje se tratan

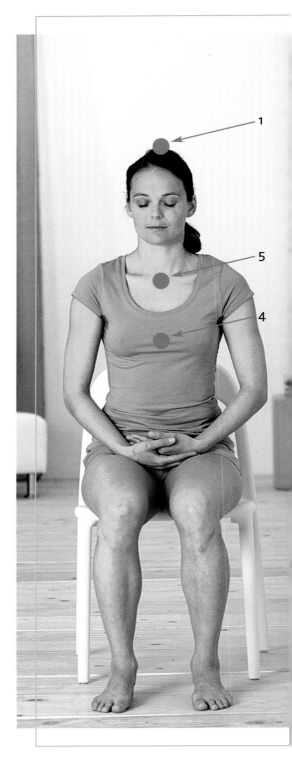

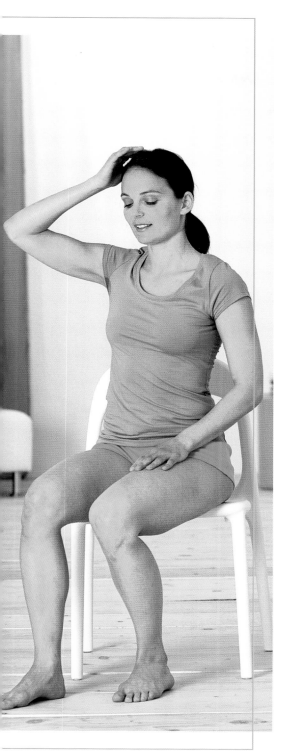

Tiempo: *unos 10 minutos.*
Autotratamiento: *sí.*
Tratamiento en pareja: *sí.*
Pasta de masaje: *mezclar
2 cucharaditas de mantequilla
clarificada con ½ cucharadita de
jengibre en polvo.*
Acción: *calmante y relajante, útil
en miedos y abatimiento, alivia el
dolor de cabeza y los trastornos del
sueño.*

cinco zonas energéticas que confieren al masaje una acción especialmente calmante y relajante. El masajeado está preferiblemente sentado.

> Ponga un poco de pasta de masaje en la punta de sus dedos índice y corazón y colóquelos exactamente en el punto más alto de la cabeza (1).

> Dibuje lentamente pequeños círculos durante unos dos minutos sobre la piel, sin aplicar ningún tipo de presión. Este punto alivia el agotamiento y los trastornos del sueño.

> Seguidamente trate el punto de la séptima vértebra cervical. Esta se encuentra en la columna vertebral y es muy fácil de encontrar, ya que sobresale claramente a la altura de los hombros (fotografía pág. 55, punto 2).

> Vuelva a tomar un poco de pasta de masaje con las puntas de los dedos y dibuje también círculos en esta zona

durante unos dos minutos sin aplicar presión. Este punto energético es especialmente útil en caso de nerviosismo y tensiones, sobre todo en hombros y nuca.

> El siguiente punto energético es doble y se encuentra a ambos lados de la columna vertebral. Lo encontrará un palmo por detrás de la oreja, en el borde inferior del cráneo (3).

> Coja un poco de pasta de masaje con las puntas de los dedos de ambas manos y trabaje ambas zonas simultáneamente, realizando círculos sobre la zona con las puntas de los dedos durante unos dos minutos. El tratamiento de estas zonas energéticas alivia el dolor de cabeza tensional y puede ser de ayuda en la migraña.

> Los últimos dos puntos energéticos se hallan en la cara anterior del cuerpo. En primer lugar masajee la zona energética en el punto central del pecho. Lo encontrará sobre el esternón, en una línea entre los dos pezones (fotografía pág. 52, punto 4).

> Vuelva a tomar un poco de pasta de masaje con las puntas de los dedos de una mano y masajee esta zona durante unos dos minutos con suaves movimientos circulares. El masaje de este punto energético ayuda tanto en los miedos como en los estados de ánimo depresivos. Además, tiene un efecto equilibrante sobre los trastornos circulatorios.

> Por último, trate la zona energética situada en el borde inferior de la fosa yugular, inmediatamente encima del esternón (fotografía pág. 52, punto 5). Evite realizar presión en esta zona: frote solo la pasta de masaje sobre la piel con las puntas de los dedos formando pequeños círculos. Este punto actúa contra la apatía y la debilidad y también es útil para superar los miedos.

3 → ● ← 3
      ●   2

Masaje rápido de hombros

¿QUÉ CARACTERIZA ESTE MASAJE?

Con un masaje rápido de hombros puede convertirse en el preferido de sus colegas: en los trabajos de oficina ofrece relajación entre horas, evitando las molestas contracturas. Para este masaje es aconsejable que lleve ropa ligera.

Tiempo: *unos 4 minutos.*
Autotratamiento: *no.*
Tratamiento en pareja: *sí.*
Aceite de masaje: *sin aceite.*
Acción: *relajante, alivia el dolor de hombros y de nuca.*

ASÍ SE REALIZA

Es preferible que quien recibe el masaje de hombros esté sentado. La persona que realiza el masaje se sitúa detrás de la que lo recibe.

> Coloque las manos sobre los hombros y empiece con movimientos suaves de amasado en ambos hombros. Presione los músculos de los hombros entre sus dedos y las almohadillas de sus manos y deslice las manos desde la base del cuello hacia la articulación del hombro.

> Descanse las manos sobre los hombros y presione trozo a trozo con el pulgar, desde la base del cuello hasta la articulación del hombro.

> Para ello, sitúe el pulgar una y otra vez de nuevo, aumentando progresivamente la presión y póngalo de nuevo al lado de la zona ya tratada.

> Por último, coloque ambas manos con los dedos juntos sobre un hombro y muévalas juntas y relajadas con pequeños movimientos hacia adelante y hacia atrás. De esta manera los hombros son sacudidos suavemente. Los dedos no se deslizan sobre el hombro, sino que los músculos se mueven con ellos.

> Empiece en la base del cuello y aplique las sacudidas hasta la articulación del hombro. Repita este movimiento en el otro hombro.

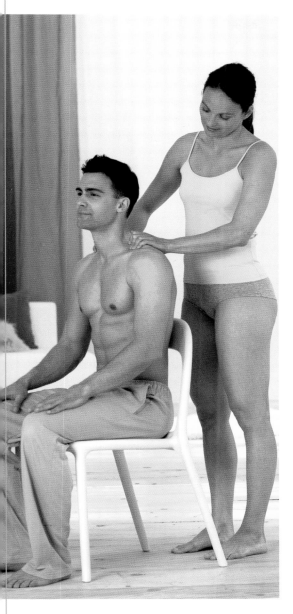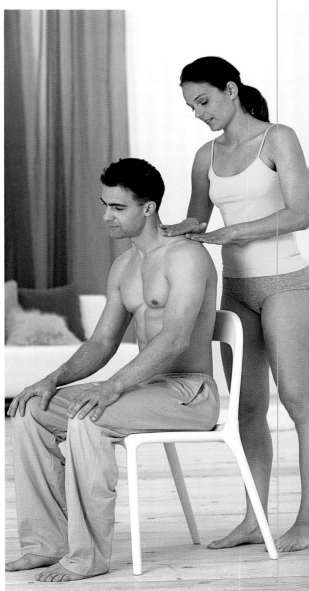

Masaje activador con romero

¿QUÉ CARACTERIZA ESTE MASAJE?

El masaje activador con romero es ideal cuando desea despertar nuevas energías después de un día agotador. La acción estimulante del aceite de romero elimina el cansancio y le ayuda a levantar su poco ánimo en días especialmente perezosos.

ASÍ SE REALIZA

Este masaje es preferible recibirlo sentado.

> Tome un poco de aceite en la mano y frote un par de veces su brazo desde el dorso de la mano hasta el hombro para untarlo todo él con el aceite.

> Seguidamente, rodee el contorno del brazo con la mano suelta y masajee los músculos con pequeños círculos del pulgar desde la muñeca hasta el codo y desde el codo hasta el hombro.

> Por último realice movimientos rápidos de amasado con la mano varias veces desde la muñeca hasta el hombro.

> Seguidamente, repita el masaje en el otro brazo.

> Vuelva a repartir un poco de aceite de masaje en las manos y frote varias veces la pierna desde el tobillo hasta la rodilla, hasta que quede bien untada de aceite.

> Rodee la parte posterior del tobillo con una mano un poco más alta que la otra.

> Ahora, amase la pantorrilla hasta el hueco poplíteo. Para ello, ambas manos se mueven una inmediatamente detrás de la otra, alternando la presión.

> Para finalizar, frote la pierna con movimientos rápidos y enérgicos, en todo su contorno, de abajo a arriba.

> Repita el masaje en la otra pierna.

Tiempo: *unos 7 minutos.*
Autotratamiento: *sí.*
Tratamiento en pareja: *sí.*
Aceite de masaje: *mezclar 1 cucharada de aceite de oliva y 3 gotas de aceite esencial de romero; antes realice la prueba de alergia (pág. 20).*
¡Tenga en cuenta!: *¡no durante el embarazo ni en caso de hipertensión arterial o epilepsia!*
Acción: *activador y estimulante, aumenta la circulación, la presión arterial y la capacidad de concentración.*

Masaje de 5 minutos con cepillo

¿QUÉ CARACTERIZA ESTE MASAJE?

Los cepillos de masaje de cerdas naturales confieren a este masaje un efecto especial: estimulan el metabolismo cutáneo y, como si se tratase de un *peeling*, hacen que la piel quede suave como la seda.

Tiempo: *unos 5 minutos.*
Autotratamiento: *sí.*
Tratamiento en pareja: *sí.*
Aceite de masaje: *sin aceite.*
Otros: *también puede realizarse bajo la ducha.*
Acción: *estimulante y fortalecedor, estimula la circulación y tiene un efecto de* peeling *sobre la piel.*

ASÍ SE REALIZA

El que recibe el masaje puede estar sentado o de pie, y puede realizarse incluso bajo la ducha.

> En primer lugar se masajea el brazo derecho: sujete el cepillo con la palma de la mano y realice un masaje con pequeños movimientos circulares en la parte externa del brazo pasando por el codo hasta el hombro. Dosifique la presión de manera que el masaje sea enérgico pero agradable.

> Seguidamente, sitúe el cepillo en la parte interior de la muñeca y realice un masaje con pequeños movimientos circulares hasta la axila. Realice una fricción de la piel más suave que antes, ya que en esta zona es mucho más sensible y suave.

> Repita el masaje en el brazo izquierdo.

> Ahora es el turno de las piernas: sitúe el cepillo primero sobre el maleolo externo de la pierna derecha. Realice pequeños círculos hacia arriba hasta la cadera.

> Seguidamente, realice el mismo movimiento en círculos desde el maleolo interno, por la cara interna de la pierna, y después, desde el empeine, por la cara anterior de la pierna hasta la ingle. Rodee varias veces la zona de la rótula, ya que generalmente la piel de esta zona es más rugosa.

> Por último, masajee la cara posterior de la pierna hasta el trasero. El masaje también tiene un efecto anticelulítico.

> Seguidamente, realice el masaje de la misma manera en la pierna izquierda.

Masaje relajante con lavanda

¿QUÉ CARACTERIZA ESTE MASAJE?

El masaje relajante con lavanda es especialmente adecuado para relajarse después de un día agotador y para desconectar antes de acostarse. El aceite esencial de lavanda utilizado en este masaje calma los nervios y ayuda a conciliar el sueño.

ASÍ SE REALIZA

Para este masaje, la persona que lo recibe se estira boca abajo y descansa la cabeza cómodamente sobre los brazos o sobre un pequeño cojín.

> Caliente el aceite de masaje entre sus manos y frote sobre la espalda en líneas rectas desde la zona lumbar hasta los hombros; primero junto a la columna vertebral y después alejándose progresivamente de ella hasta haber untado toda la espalda de aceite.

> Ahora, apoye las almohadillas de sus manos en la parte baja de la espalda, a derecha e izquierda, junto a la columna vertebral, y deslícelas lentamente con una ligera presión hacia arriba hasta la nuca. Repita este movimiento varias veces.

> Seguidamente, con los dedos separados, deje descansar las yemas de los mismos sobre la piel de la parte baja de la espalda. Realice movimientos circulares simultáneamente a ambos lados de la espalda. Los movimientos deben ir siempre de abajo a arriba y de dentro a afuera.

> Por último, coloque las manos planas junto a la columna vertebral, en la parte baja de la espalda. Deje que se deslicen lentamente sus manos hacia afuera, hacia los lados del cuerpo.

> Repita este movimiento subiendo un poco cada vez hasta llegar a los hombros.

Tiempo: unos 3 minutos.
Autotratamiento: no.
Tratamiento en pareja: sí.
Aceite de masaje: mezclar 1 cucharada de aceite de almendras con 2 gotas de aceite esencial de lavanda; realizar antes la prueba de alergia (pág. 20).
Otros: masajear hasta que el aceite se absorba o dejar que lo haga por sí solo.
Acción: calmante y equilibrante, ayuda en caso de nerviosismo.

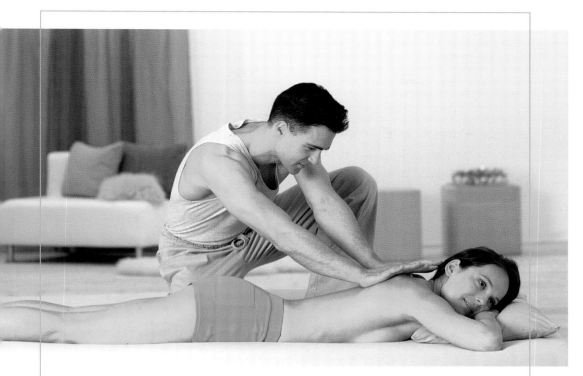

Pequeño masaje
de auriculoterapia

¿QUÉ CARACTERIZA
ESTE MASAJE?

Como en los pies (véase pág. 38) y en las
manos (véase pág. 46), en las orejas
existen zonas reflejas que representan
todo el cuerpo y sus órganos. Así pues,
mediante un masaje de auriculoterapia
puede mejorar en poco tiempo su
bienestar general.

ASÍ SE REALIZA

En el masaje de auriculoterapia debe
poner especial cuidado en que sus manos
estén calientes, ya que realizado con los
dedos fríos es muy desagradable. Este
masaje es más fácil si se realiza sentado.
Cuando se hace en pareja, los dos
componentes de la misma deben
sentarse enfrentados.

> Al empezar el masaje coloque las
  palmas de las manos sobre las orejas y

Tiempo: *unos 2 minutos*.
Autotratamiento: *sí*.
Tratamiento en pareja: *sí*.
Aceite de masaje: *sin aceite*.
¡Tenga en cuenta!: *quítese los
pendientes antes de empezar
el masaje*.
Acción: *calmante y equilibrante,
ayuda en caso de nerviosismo*.

sienta su calor durante unos momentos. Procure no tapar por completo el conducto auditivo.

> Seguidamente, dibuje pequeños círculos con las manos moviendo suavemente toda la oreja.

> Después, coja la oreja por su borde superior entre las puntas del pulgar y del índice, de manera que el dedo índice se sitúe detrás de la oreja.

> Masajee toda la oreja, presionándola porción a porción. No olvide el borde de la oreja y siga su contorno hasta el lóbulo.

> Seguidamente, frote con la punta del dedo índice desde el conducto auditivo los repliegues de la oreja hasta el borde externo. Repita el movimiento 2-3 veces.

> Por último, vuelva a coger la oreja por el borde superior entre el pulgar y el índice y tire con cuidado en dirección contraria al conducto auditivo. Al tiempo, deje deslizar los dedos suavemente hasta el borde externo.

> Coloque los dedos algo más profundamente y repita este «estiramiento» de la oreja, hasta llegar al lóbulo.

Masaje sensorial con sándalo

¿QUÉ CARACTERIZA ESTE MASAJE?

En Oriente el aceite esencial de sándalo se utiliza desde hace tiempo para los masajes sensoriales y estimulantes. Contribuye a deshacerse de miedos y tensiones y a abandonarse por completo a las vivencias.

ASÍ SE REALIZA

Para este masaje la persona que lo recibe puede echarse cómodamente boca abajo para que pueda masajeársele espalda y trasero.

Tiempo: *unos 4 minutos.*
Autotratamiento: *no.*
Tratamiento en pareja: *sí.*
Aceite de masaje: *mezclar 2 cucharadas de aceite de jojoba con 3 gotas de aceite esencial de sándalo; realizar antes la prueba de alergia (pág. 20).*
¡Tenga en cuenta!: *no en el embarazo o en caso de nefritis.*
Otros: *masajear hasta que se haya absorbido todo el aceite.*
Acción: *sensual y erotizante, ayuda a dejarse ir y alivia la tensión a nivel lumbar.*

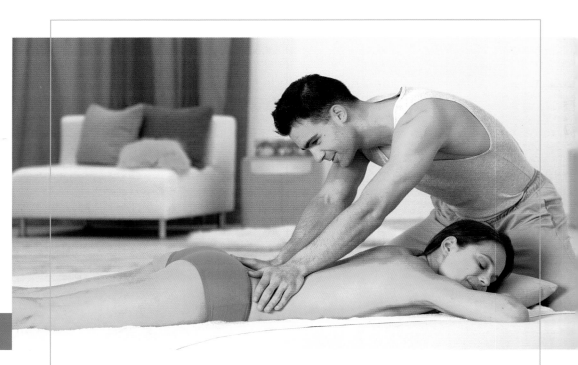

> Arrodíllese con las piernas ligeramente separadas delante de la cabeza de su compañero de manera que pueda inclinarse sobre su espalda.

> Tome el aceite de masaje entre sus manos y coloque las manos planas sobre la nuca de su pareja.

> Frote con un movimiento largo y suave a lo largo de la columna vertebral hasta el trasero alejándose tanto como pueda. En este punto, deje que sus manos se deslicen separándose y muévalas por los lados del cuerpo hasta regresar a la nuca. Repita este movimiento varias veces.

> De nuevo en la nuca, gire ligeramente sus manos hacia afuera de manera que las puntas de los dedos señale hacia los lados del cuerpo.

> Con una ligera presión y dibujando un suave arco hacia los lados, deslice las manos separándolas y, sin ejercer presión, llévelas formando un círculo de nuevo hasta el centro del cuerpo.

> De esta forma masajee desde los hombros hasta el trasero y acompase su movimiento a la respiración de la persona que recibe el masaje: al espirar sus manos se separan ejerciendo presión y al inspirar vuelven sin ejercer presión hasta el centro del cuerpo.

Masaje facial de belleza

¿QUÉ CARACTERIZA ESTE MASAJE?

A lo largo del tiempo, la alegría, la ira y la tristeza dejan huella en nuestra cara. Un masaje facial de belleza realizado con regularidad ciertamente no puede borrar el paso del tiempo, pero sí lo puede mitigar y aportarle a su cara un expresión relajada y radiante.

Tiempo: *unos 4 minutos.*
Autotratamiento: *sí.*
Tratamiento en pareja: *sí.*
Aceite de masaje: *sin o con muy poco. Masajear con el aceite, en la cara utilizar exclusivamente aceite base como p.ej .1 cucharadita de aceite de almendras.*
Acción: *relajante, soluciona contracturas.*

ASÍ SE REALIZA

> Para iniciar el masaje, frótese la cara con las yemas de los dedos juntos: desde el centro de la frente, primero a lo largo de la línea de nacimiento del pelo (fotografía izquierda pág. 69), seguidamente por encima de las cejas hacia las sienes y después desde la raíz de la nariz, por encima de los párpados cerrados hasta las sienes; luego por encima de los pómulos hacia las orejas y desde las aletas de la nariz, por debajo de los pómulos, hasta las orejas y, por último, por encima del labio superior, el labio inferior y desde la barbilla, sobre la mandíbula hacia las orejas.

> Ahora coloque las puntas de los dedos entre las cejas y realice pequeños movimientos circulares hacia arriba y hacia afuera hasta la línea de nacimiento del pelo. Sitúe los dedos cada vez un poco más hacia afuera, por encima de las cejas, y realice el masaje de esta forma hasta las sienes.

> Sitúe el pulgar y el índice en el borde interno de las cejas y pellizque suavemente las cejas entre las puntas de los dedos. Resiga de esta forma la ceja hasta su borde externo.

> Coloque sus dedos índices estirados, uno frente al otro en el centro de la frente. Deslícelos en zigzag uno contra el otro y sepárelos de nuevo con una ligera presión (fotografía derecha pág. 69). Procediendo de esta manera deslice varias veces los dedos entre la raíz de la nariz y la línea de nacimiento del pelo.

> Seguidamente, masajee la zona entre las aletas de la nariz y las comisuras de la boca: coloque las puntas de los dedos índices sobre las aletas de la nariz y frote con una ligera presión una zona pequeña en dirección a las mejillas. Repita el movimiento cada vez

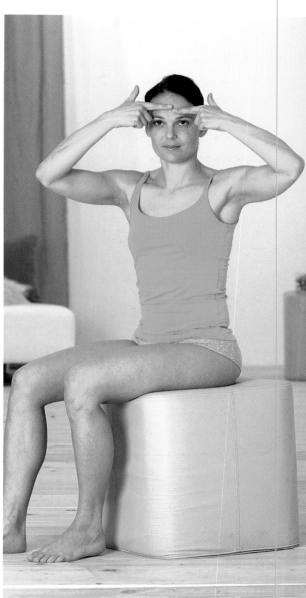

un poco más allá hasta las comisuras de la boca.

> Ahora coloque juntas las puntas de sus dedos índices entre el labio superior y la nariz. Ejerza solo una ligera presión y mueva las puntas de los dedos hacia fuera, en dirección a las comisuras de la boca (fotografía izquierda pág. 71). Estire las comisuras hacia arriba dibujando una ligera sonrisa.

> Repita este movimiento en el labio inferior: coloque juntas las puntas de sus dedos en el hoyuelo de debajo del labio inferior y muévalas ejerciendo una suave presión hacia fuera y hacia arriba, en dirección a las comisuras de la boca.

> Ahora, coloque la punta de sus dedos por debajo de la comisura interna de los ojos, en el borde superior del pómulo. Realice pequeños movimientos de golpeteo suave y deslice la punta de sus dedos a lo largo del pómulo hasta la comisura externa del ojo. El movimiento no debería percibirse como un verdadero golpeteo, sino que solo debe poner en suave vibración la piel y el tejido que queda inmediatamente por debajo.

> Siguiendo líneas paralelas, masajee de esta forma toda la mejilla con golpeteos ligeros como una pluma.

> Seguidamente, masajee la barbilla y la mandíbula: desde el centro de la barbilla, entre el índice y pulgar presione a lo largo del borde de la mandíbula hasta la articulación de la misma.

> Para finalizar, realizando movimientos circulares con las puntas de los dedos, masajee la zona de la articulación de la mandíbula (fotografía derecha pág. 71).

Información

Naturalmente, las técnicas de masaje descritas también pueden aplicarse diariamente para el cuidado de la cara. Justo antes de acostarse, el masaje, en combinación con una crema de noche nutritiva, contribuye a eliminar la tensión en la zona de la frente, los ojos y la mandíbula. Además, mejora la circulación de la cara, lo que también es beneficioso para el cutis.

Ejercicios de masaje de los *chakras*

¿QUÉ CARACTERIZA ESTE MASAJE?

La disciplina de los *chakras* es originaria de la India y se basa en la premisa de que el cuerpo humano es atravesado por energías sutiles, las cuales constituyen la base de su vitalidad y salud. El término *chakra* proviene del sánscrito y significa algo así como vértebra o rueda. Los *chakras* son centros energéticos del cuerpo que llevan la energía a distintos órganos y zonas del cuerpo. Pero su radio de acción no se limita únicamente al plano físico, sino que su función también influye sobre los sentimientos y los procesos mentales.

El masaje de los *chakras* es un masaje energético y se realiza sin ninguna fricción, presión o amasado. Se asemeja mucho más a una meditación en la que se estimula conscientemente la función de un determinado órgano. De los muchos *chakras* que la doctrina india original tiene descritos, en el masaje de los *chakras* se tienen en cuenta solo los siete *chakras* principales, dado que constituyen los centros energéticos más importantes y su acción comprende todos los niveles, físico, mental y espiritual.

Los siete *chakras* principales se encuentran en una línea que va desde el pubis hasta la coronilla, a lo largo del eje

Tiempo: *3-5 minutos*.
Autotratamiento: *sí*.
Tratamiento en pareja: *sí*.
Aceite de masaje: *sin aceite de masaje*.
Acción: *según el* chakra *que se trate, armonía general y tonificante*.

central del cuerpo. Cada uno de estos *chakras* tiene su propio campo de acción:

> El primer *chakra*, situado en el suelo de la pelvis, aporta energía a los órganos excretores y los huesos y estimula las ganas de vivir, la perseverancia y la confianza ancestral.

> El segundo *chakra*, situado en el sacro, alimenta los órganos sexuales y la zona pélvica. Además, es fuente de creatividad y alegría de vivir.

> El tercer *chakra*, a la altura del estómago, aporta energía al estómago, al hígado, al bazo, a la vesícula biliar y al sistema nervioso vegetativo. Confiere confianza en uno mismo, capacidad de imponerse y se ocupa de la emotividad.

> El cuarto *chakra*, a la altura del corazón, aporta energía a la totalidad de la caja torácica y sobre todo al corazón; asimismo, confiere la capacidad de amar y de sentir compasión.

> El quinto *chakra*, situado en la laringe, lleva la energía al cuello, la glándula

tiroides y las cuerdas vocales y es el centro de la capacidad de comunicación.

> El sexto *chakra*, situado entre las cejas, lleva la energía al sentido de la vista, los ojos, los oídos y la nariz, así como al sistema hormonal y aporta intuición y capacidad de reconocimiento.

> El séptimo *chakra*, situado en la coronilla, es el más elevado. Es la fuente de energía para el sistema nervioso central y actúa sobre la totalidad del organismo; es el centro de la espiritualidad.

En el masaje de los *chakras* debe elegir el *chakra* cuyo ámbito de acción quiera reforzar. Antes del masaje tómese unos minutos para tranquilizarse y desconectar del ajetreo diario. El masaje de los *chakras* puede realizarse tanto de pie como sentado.

ASÍ SE REALIZA

> Empiece el masaje sensibilizando sus manos: fróteselas realizando movimientos circulares. Después, sepárelas lentamente un poco y sienta el calor que desprenden.

> Seguidamente, coloque las manos planas sobre el *chakra* que desea masajear. La mano derecha descansa sobre la izquierda. Mantenga las manos sueltas y relajadas, cierre los ojos y sumérjase en la zona del cuerpo sobre la que descansan sus manos.

> Imagínese cómo con cada inspiración

respira también energía y cómo esa energía fluye hasta la zona sobre la que descansan sus manos.

> Siga imaginando cómo empieza a lucir

verde, en el quinto *chakra* azul claro, en el sexto *chakra* un intenso azul oscuro y en el séptimo *chakra* blanco.

> Por último, imagine cómo la energía de este sol de color circula por la zona correspondiente del cuerpo y la llena de nueva energía. Siga respirando conscientemente en el interior de esta zona y sienta cómo la cálida irradiación de sus manos favorece la acción energizante de la luz de color. Toda su consciencia está completamente llena de luz, calor y bienestar.

> Finalmente, salga de su ensimismamiento. Respire consciente y profundamente algunas veces más y abra los ojos.

en esa zona un sol de color: en el primer *chakra* brilla un sol rojo, en el segundo *chakra* naranja, en el tercer *chakra* amarillo, en el cuarto *chakra*

Minimasaje para pies cansados

¿QUÉ CARACTERIZA ESTE MASAJE?

Con este minimasaje los pies cansados estarán a punto en unos instantes: es tan agradable después de una larga jornada laboral como después de una excursión por la montaña. El aceite de masaje refuerza la acción revitalizante del masaje.

ASÍ SE REALIZA

El autotratamiento es más sencillo en posición de sentado, mientras que en el tratamiento en pareja, la persona que recibe el masaje también puede estirarse en el suelo boca arriba.

> Antes del masaje, mójese los pies en la ducha tres veces con agua caliente y fría alternativamente –la última ducha debe ser con agua fría–, séquelas.

> Tome la mitad del aceite de masaje en las manos, repártalo por el pie derecho y frótelo entre sus manos.

> Seguidamente, sujete el pie con una mano y coloque la otra palma sobre la planta del pie. Deslice los dedos de la mano entre los dedos del pie de manera que estos señalen hacia la rodilla.

> Mantenga este estiramiento durante unos momentos. Después, tire del pie en dirección contraria, estirándolo todo lo que pueda. Repita este movimiento tres veces.

> En esta posición, realice un movimiento circular con el tobillo tres veces en cada dirección.

> Por último, tome el pie entre las manos de manera que su pulgar descanse sobre la planta del pie. Deslícelo por todo el pie, incluido el borde externo.

> Repita el masaje en el pie izquierdo.

Tiempo: *unos 5 minutos.*
Autotratamiento: *sí.*
Tratamiento en pareja: *sí.*
Aceite de masaje: *mezclar 1 cucharada de aceite de jojoba con 1 gota de aceite esencial de menta y 1 gota de aceite esencial de limón; realizar antes la prueba de alergia (pág. 20).*
Otros: *duche los pies antes del masaje con agua caliente y fría alternativamente.*
Acción: *vivificante y equilibrante, alivia el dolor de pies.*

Masaje cervical relajante

¿QUÉ CARACTERIZA ESTE MASAJE?

A pesar de ser tan breve, este masaje es una verdadera bendición, ya que ¿quién no ha sufrido ocasionalmente de dolorosas contracturas en la zona cervical? Los masajes breves practicados con regularidad pueden prevenir eficazmente estas tensiones.

ASÍ SE REALIZA

Este masaje puede realizarse con o sin aceite. Realícelo sentado y tenga cuidado en mantener la espalda y la cabeza relajados. En caso de utilizar aceite, frótelo en la zona de la nuca con unos pocos movimientos antes de empezar el masaje.

> En el masaje en pareja, empiece colocando las manos sobre los hombros de su pareja, junto al cuello, y realice pequeños movimientos circulares con la yema del pulgar de abajo a arriba masajeando los músculos a izquierda y derecha de la columna vertebral.

> Masajee de esta manera varias veces la zona, desde el hombro hasta el borde del cráneo.

> En el autotratamiento, realice estos movimientos circulares con la yema de los dedos índice y corazón en lugar del pulgar.

> Seguidamente, coloque una mano con los dedos juntos transversalmente

Tiempo: *unos 3 minutos.*
Autotratamiento: *sí.*
Tratamiento en pareja: *sí.*
Aceite de masaje: *sin o con poco aceite, por ejemplo mezclar 1 cucharadita de aceite de almendras con 1 gota de aceite esencial de lavanda; realizar antes la prueba de alergia (pág. 20).*
Acción: *calmante y equilibrante, alivia el dolor de hombros y cervical.*

sobre la nuca y amásela entre los dedos y las almohadillas de la mano. Deslice la mano lentamente hacia arriba y abajo para incluir toda la nuca.

> Por último, frote varias veces la nuca con las puntas de los dedos, desde la base del cráneo hasta los hombros. Empiece el movimiento enérgicamente y hágalo más suave de manera progresiva.

Masaje con aceite de almendras caliente

¿QUÉ CARACTERIZA ESTE MASAJE?

El calor del aceite en la piel hace de este masaje una experiencia única. Además es ideal para pieles secas y estropeadas, las cuales, gracias a los valiosos componentes del aceite de almendras recuperan su suavidad y elasticidad.

ASÍ SE REALIZA

Para realizar este masaje es imprescindible colocar una gran toalla debajo para evitar las manchas de aceite. Después del masaje, cubrir a la persona que ha recibido el masaje con una toalla suave y dejar que repose para que se absorba todo el aceite. Este masaje puede realizarse sentado (autotratamiento) o estirado (tratamiento en pareja).

> En primer lugar, tome un poco de aceite ligeramente calentado entre las manos para controlar la temperatura. Reparta el aceite en sus manos y frote suavemente en las piernas.

> Seguidamente, masajee con las palmas de las manos la piel de las piernas, desde el tobillo hasta la rodilla, realizando movimientos circulares grandes.

> Ponga abundante aceite en la palma de una de sus manos y frote con movimientos largos y rectos desde la muñeca hasta el hombro del brazo más alejado de usted.

> Rodee con la mano el brazo a la altura de la muñeca y frote con movimientos circulares hasta el hombro. Por último, tome de nuevo aceite entre sus manos y aplíquelo con movimientos circulares realizados con las manos planas sobre el cuello y los hombros. El que lo desee puede incluir el pecho y el abdomen en el masaje.

Tiempo: *unos 10 minutos.*
Autotratamiento: *sí.*
Tratamiento en pareja: *sí.*
Aceite de masaje: *calentar 4 cucharadas de aceite de almendras al baño María hasta una temperatura que le resulte agradable.*
Otros: *deje que el aceite se absorba por completo o dúchese.*
Acción: *calmante y equilibrante, ayuda a relajarse y nutre la piel seca.*

Ejercicio de shiatsu

¿QUÉ CARACTERIZA
ESTE MASAJE?

El masaje de shiatsu, originario de Japón, al igual que la digitopuntura (véase pág. 84) se basa en la teoría de que todo el cuerpo está atravesado por canales energéticos. En el caso del shiatsu, estos son masajeados con las almohadillas de las manos, y en ocasiones incluso con los codos o las rodillas, con el fin de estimular el flujo de energía.

ASÍ SE REALIZA

En este ejercicio de shiatsu, la persona que recibe el masaje se echa boca abajo. La cabeza se apoya sobre un cojín bajo y los brazos se colocan estirados junto al cuerpo.

> Arrodíllese junto a la espalda del masajeado y coloque sus manos planas, una junto a la otra y transversalmente a la columna vertebral, en el centro de la espalda.

> Estire suavemente la columna vertebral moviendo las manos simultáneamente, una en dirección a la nuca y la otra en dirección al trasero. Tenga en cuenta que ha de realizar solo una presión suave con las almohadillas de la mano y con los dedos y no echar el peso directamente sobre la columna vertebral.

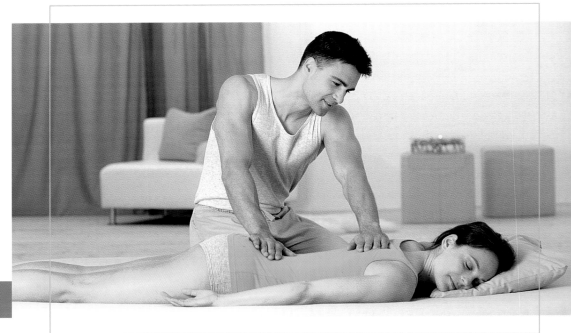

> Seguidamente, arrodíllese junto a la cabeza de su pareja y coloque las manos planas por encima de sus omóplatos a ambos lados de la columna vertebral.
> Deslice una mano paralelamente a la columna vertebral en dirección al trasero, alejándose tanto como pueda, deténgase y lleve la mano nuevamente a la posición inicial.
> Repita este movimiento tres veces por cada lado.
> Ahora, arrodíllese junto a la parte baja de la espalda de su pareja. Coloque su mano derecha plana sobre su hombro izquierdo como apoyo y masajee con las almohadillas de la mano izquierda tres veces la cara posterior del brazo,

Tiempo: *unos 3 minutos.*
Autotratamiento: *no.*
Tratamiento en pareja: *sí.*
Aceite de masaje: *sin aceite.*
Acción: *despierta nuevas energías, estimula el sistema inmunológico y puede aliviar el dolor de espalda.*

desde el codo hasta la articulación del hombro.
> Seguidamente cambie de lado, apóyese con la mano izquierda sobre el hombro derecho y masajee la cara posterior del brazo derecho con las almohadillas de la mano derecha.

Ejercicios de digitopuntura

¿QUÉ CARACTERIZA ESTE MASAJE?

La digitopuntura es una técnica de masaje milenaria originaria de China que ha acreditado su eficacia para aliviar distintos trastornos. Para ello se presionan determinados puntos del cuerpo con las puntas de los dedos o del pulgar entre 30 y 90 segundos –en personas muy sensibles, niños o ancianos es preferible ejercer una presión más breve y más suave–.

Dado que la mayoría de los puntos se encuentran simétricamente colocados en el cuerpo siempre se tratan a ser posible de manera simultánea en ambos lados del mismo.

Con los siguientes ejercicios de digitopuntura puede aliviar algunas de las molestias más frecuentes rápidamente y de forma sencilla y hacer algo por su bienestar.

Tos, trastornos de las vías respiratorias

La presión en los siguientes puntos ayuda (fotografía izquierda pág. 85):

> Los puntos pulmón 7 y pulmón 11 se encuentran en la mano y la muñeca y son fáciles de encontrar: el punto pulmón 11 se encuentra en el ángulo externo del surco ungueal del pulgar. El punto pulmón 7 se encuentra en el borde interno de la muñeca, alrededor de dos dedos por encima del extremo del pliegue de flexión de la muñeca.

> Por debajo de la laringe se encuentran otros puntos útiles: el punto vaso concepción 22 se localiza en el borde superior del esternón y el punto estómago 11 está situado aproximadamente tres dedos por encima y lateralmente, en una fosa situada en el borde superior de la clavícula.

Dolor de cabeza y otros dolores

Desde el primer síntoma puede «deshacerse» del dolor de cabeza presionando sobre el punto correcto (fotografía pág. 85).

> El punto especial entre las cejas se encuentra, tal como su nombre indica, directamente por encima de la raíz de la nariz, exactamente entre las mismas.

> En el extremo externo de las cejas se encuentra el punto triple calentador 23, en una pequeña fosa.

Tiempo: *1-5 minutos*.
Autotratamiento: *sí*.
Tratamiento en pareja: *sí*.
Aceite de masaje: *sin aceite*.
¡Tenga en cuenta!: *durante el embarazo no presionar el punto intestino grueso 4 y el vaso concepción 6*.
Acción: *según el punto tratado*.

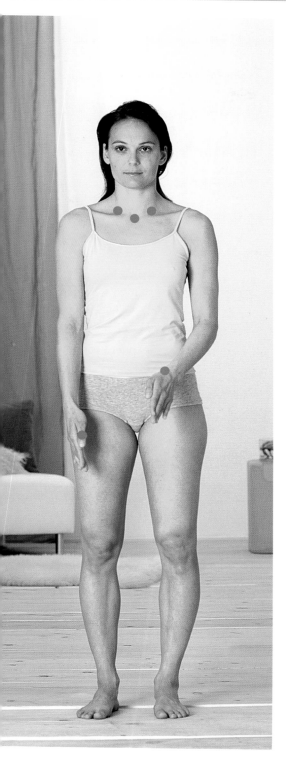
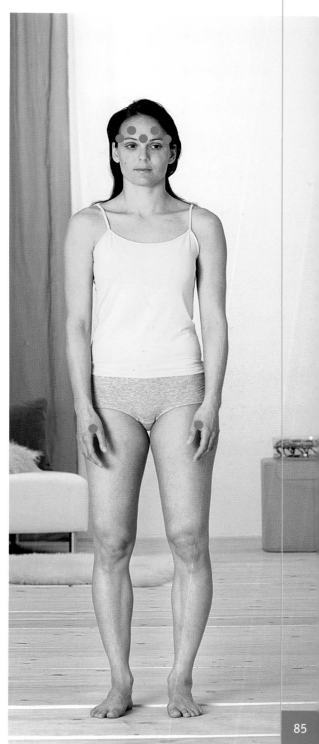

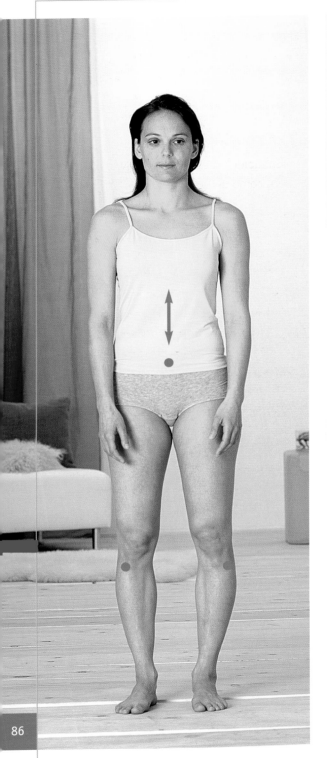
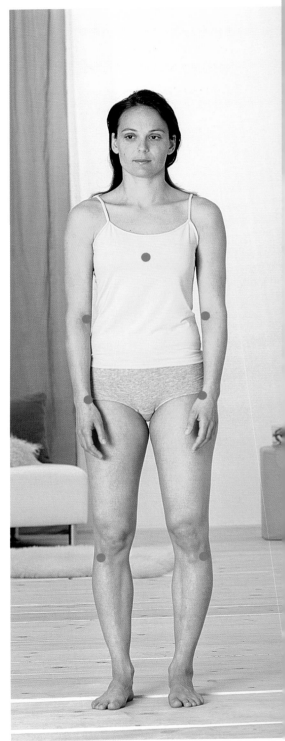

> Además también puede ser útil el punto vesícula biliar 14, que se encuentra un dedo por encima de las cejas, perpendicular a las pupilas cuando la mirada se dirige hacia delante (controlar en el espejo).

> Asimismo, el punto intestino grueso 4 es una apuesta segura en numerosos dolores. Se encuentra en el dorso de la mano. Es fácil encontrarlo si se presiona el pulgar fuertemente contra el borde interno de la mano. De esta manera, el músculo que se encuentra entremedio se abomba un poco y en el punto más elevado se encuentra el punto del intestino grueso, el cual también es reconocible por su especial sensibilidad.

Nerviosismo, inquietud, miedos

Sea por un examen difícil o por una primera cita, en alguna ocasión todos hemos querido poder calmarnos y dejarnos ir con rapidez. Los siguientes puntos de digitopuntura ayudan en esta situación (fotografía izquierda pág. 86):

> El punto vaso concepción 6 se encuentra unos tres dedos por debajo del ombligo. Por encima se encuentran otros puntos útiles: frote varias veces la zona entre el ombligo y el esternón arriba y abajo con el fin de masajearlos.

> También es especialmente eficaz el punto estómago 36. Se encuentra lateralmente, por debajo de la rodilla.

Para localizarlo, vaya un dedo hacia afuera por debajo del borde inferior del abombamiento de la tibia. En ese punto notará una fosilla en la que se encuentra el punto.

Estado de ánimo depresivo, agotamiento

El estrés, la sobrecarga y los problemas a nivel personal o laboral pueden conducir rápidamente a un abatimiento o agotamiento y un sentimiento de derrota.

El masaje de los siguientes puntos de digitopuntura ayuda a una recuperación más rápida y a recuperar el equilibrio interior (fotografía derecha pág. 86):

> En el pliegue del codo se encuentra el punto corazón 3. Doblando ligeramente el brazo, lo encontrará en el centro, entre el extremo del pliegue de flexión y la protuberancia ósea situada al lado.

> El punto vaso concepción 17 se localiza sobre la línea media del cuerpo, entre los pezones.

> El punto pulmón 7 también tiene un efecto beneficioso. Se encuentra en la muñeca, unos dos dedos por encima del extremo interno del pliegue de flexión.

> Para conseguir la relajación también es útil el punto estómago 36, situado lateralmente por debajo de la rodilla (véase la descripción en la columna izquierda).

Masaje nutritivo con aceite de jojoba

¿QUÉ CARACTERIZA ESTE MASAJE?

Este masaje se concentra en las piernas y los brazos porque en esas zonas con frecuencia la piel está seca y estropeada, sobre todo en manos, pies, codos y rodillas. Naturalmente, también puede realizarlo en otras zonas del cuerpo.

ASÍ SE REALIZA

> Tome un poco de aceite de masaje en la palma de la mano y aplíquelo sobre el dorso de la mano con pequeños movimientos circulares en la cara externa del brazo hasta llegar al hombro.

> Repita todo el proceso desde la palma de la mano en la cara interna del brazo. Seguidamente, vuelva a masajear el codo dibujando pequeños círculos, ya que en esa zona la piel tiende a estar especialmente seca.

> Ahora, tome más aceite en la mano. Frote los dedos de la mano que realiza el masaje, tomando cada dedo con el pulgar y el índice y frotándolo desde la base hasta la punta. Para finalizar masajee suavemente el espacio que hay entre los dedos.

> Repita el masaje en el otro brazo.

> Seguidamente, tome un poco de aceite en las palmas de las manos, levante una pierna y aplíquelo desde el dorso

Tiempo: *unos 5 minutos.*
Autotratamiento: *sí.*
Tratamiento en pareja: *sí.*
Aceite de masaje: *mezclar 2 cucharadas de aceite de jojoba con 2 gotas de aceite esencial de rosas; realizar antes la prueba de alergia (pág. 20).*
Otros: *masajear hasta que se absorba todo el aceite o dejar que se absorba por sí mismo.*
Acción: *relajante y equilibrante, nutre la piel seca.*

del pie hasta la rodilla con movimientos circulares. Para ello, las manos giran una detrás de la otra de manera alterna sobre la piel.

> Coja un poco de aceite con las puntas de los dedos de ambas manos y rodee con ellas varias veces la rodilla.

> Tome otra vez aceite en la mano, sujete con la otra el pie por el tobillo y reparta el aceite por el pie. Deslice también los dedos entre los dedos del pie. Ponga especial atención en el talón y las almohadillas de los pies, así como en todas las zonas ásperas y encallecidas.

> Masajee con aceite en la mano realizando pequeños círculos por todo el pie.

> Para finalizar, masajee la otra pierna del mismo modo.

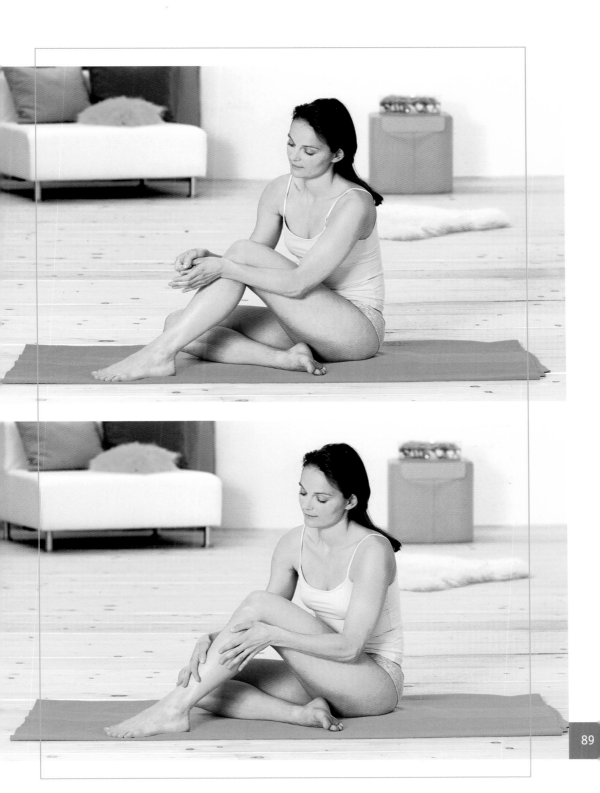

Peeling con arcilla para abdomen y pecho

¿QUÉ CARACTERIZA ESTE MASAJE?

Existen distintas clases de arcilla terapéutica. A pesar de su origen diverso, todas las arcillas tienen un denominador común: eliminan suavemente las pieles muertas y el exceso de grasa y dejan la piel suave y aterciopelada.

ASÍ SE REALIZA

Según el tipo de arcilla puede ser necesaria más o menos agua para conseguir una consistencia cremosa. Empiece con poca agua y añada la cantidad que sea necesaria. La arcilla puede tardar unos momentos en deshacerse por completo. En el caso del tratamiento en pareja, la persona que recibe el masaje puede estirarse cómodamente boca arriba, mientras que el autotratamiento es más sencillo en posición de sentado.

> En primer lugar, hunda los dedos índice y corazón en la arcilla.
> Masajee con las puntas de los dedos sobre el pecho en forma de ocho acostado y deje deslizar los dedos desde la clavícula hasta el arco costal.
> Tome un poco de arcilla y dibuje con ella un pequeño círculo alrededor del ombligo. Frótela en forma de rayos hacia fuera.
> Con la mano plana dibuje círculos cada vez más grandes alrededor del ombligo, en el sentido de las agujas del reloj.
> Por último, reparta el resto de la arcilla por todo el pecho y el abdomen, respetando los pezones.

Tiempo: *unos 8 minutos.*
Autotratamiento: *sí.*
Tratamiento en pareja: *sí.*
Aceite de masaje: *mezclar 2 cucharadas colmadas de arcilla con 6 cucharadas de agua caliente.*
¡Tenga en cuenta!: *colocar una toalla grande debajo y ducharse después del masaje o limpiarse con toallitas húmedas.*
Acción: *refrescante y calmante, procura suavidad a la piel.*

Ejercicio de masaje antiestrés

¿QUÉ CARACTERIZA ESTE MASAJE?

No hay nada que actúe tan rápido contra el estrés y la tensión como un pequeño masaje y la respiración profunda, ya que cuanto mayor es el estrés tanto más superficial se hará nuestra respiración, lo que supone una sobrecarga adicional para nuestro organismo.

ASÍ SE REALIZA

Este masaje se realiza estirado boca arriba, incluso en el autotratamiento.

Tiempo: *unos 4 minutos.*
Autotratamiento: *sí.*
Tratamiento en pareja: *sí.*
Aceite de masaje: *mezclar 1 cucharada de aceite de almendras con 1 gota de aceite esencial de lavanda y 1 gota de aceite esencial de orégano; realizar antes la prueba de alergia (pág. 20).*
Otros: *retirar el aceite con una toalla al finalizar el masaje o masajear hasta que se absorba por completo.*
Acción: *calmante y relajante, elimina el estrés y aporta nuevas energías.*

> En primer lugar, masajee la parte izquierda del cuerpo formando pequeños círculos con las puntas de los dedos desde el borde superior del esternón, en el borde inferior de la clavícula, hasta la articulación del hombro.

> Repita este movimiento tres veces y frote con la mano plana desde el esternón, pasando por la clavícula, hasta el hombro.

> Repita todo el procedimiento en el otro lado del cuerpo.

> Ahora, estire un brazo hacia arriba y póngalo junto a la cabeza. Mientras respira profundamente, frote tres veces con la otra mano plana desde el centro del pecho, pasando por la axila y el hombro, hasta la parte superior del brazo.

> El efecto del masaje se verá reforzado si mientras realiza este movimiento se imagina cómo el estrés y la tensión son arrastrados hacia afuera.

> Repita esta parte del masaje en el otro lado del cuerpo.

> Para terminar, presione la yema de los dedos de una mano con el índice y el pulgar de la otra durante unos diez segundos.

Masaje relámpago
Lomi-Lomi hawaiano

¿QUÉ CARACTERIZA
ESTE MASAJE?

El masaje *Lomi-Lomi* proviene de la
medicina tradicional hawaiana.
Durante siglos fue desarrollado como
masaje ritual por los sanadores
chamánicos. Este masaje no se aplica
solo con las manos, sino con todo el
antebrazo. Es especialmente rítmico
y se realiza con gran cantidad de aceite.
Con frecuencia también se movilizan las

Tiempo: *unos 5 minutos.*
Autotratamiento: *no.*
Tratamiento en pareja: *sí.*
Aceite de masaje: *mezclar
2 cucharadas de aceite de coco
con 2 gotas de aceite esencial de
vainilla; realizar antes la prueba
de alergia (pág. 20).*
Otros: *dejar absorber el aceite
después del masaje o ducharse.*
Acción: *relajante y equilibrante,
alivia el dolor de hombros y nuca.*

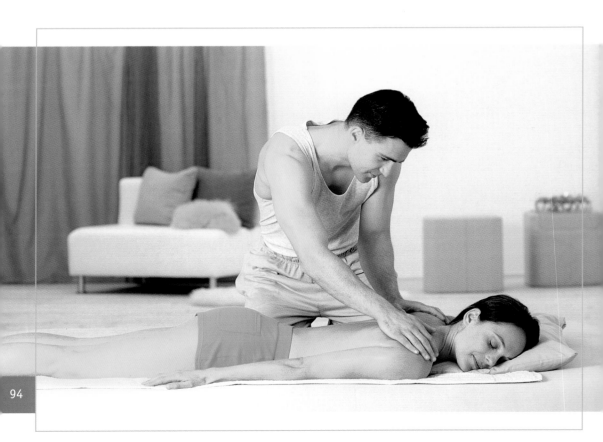

articulaciones para eliminar bloqueos
y hacer fluir la energía. El *Lomi-Lomi*
se basa en la teoría de que el cuerpo,
la mente y el espíritu forman una unidad
e influyen los unos sobre los otros.
Así pues, el masaje *Lomi-Lomi* procura
no solo relajación física, sino que
también constituye un bálsamo para la
mente y el espíritu.

ASÍ SE REALIZA

La persona que recibe el masaje está
echada boca abajo con los brazos
estirados a ambos lados del cuerpo.

> Vierta abundante aceite entre
  los omóplatos. Repártalo con las
  manos planas, primero sobre los
  hombros y después en dirección
  al trasero, por toda la espalda
  (fotografía pág. 94).
> Ahora, arrodíllese junto al cuerpo
  de su pareja y coloque sus antebrazos
  bien juntos, transversalmente a la
  columna vertebral, sobre su espalda
  (fotografía abajo).
> Deslice los antebrazos hacia adelante
  y hacia atrás de forma alterna con
  un ritmo fluido. Deje que se deslicen

de arriba a abajo con un movimiento
de ola entre los hombros y la zona
lumbar.

> Seguidamente, coloque las puntas de
los dedos índice, corazón y anular
ligeramente separados en la nuca, a
derecha e izquierda de la columna
vertebral y presione hacia abajo,
paralelamente a la columna vertebral,
en dirección al trasero. Mientras lo
hace, dibuje con los dedos pequeñas
líneas onduladas sobre la piel.

> Ahora, dedíquese a los hombros. Si se
arrodilla a la izquierda de la persona

que recibe el masaje, deslice su mano
izquierda bajo su hombro y rodee con
la derecha la parte superior del brazo,
inmediatamente por encima del codo
(fotografía abajo).

> Con la mano izquierda, eleve el
hombro y realice un movimiento
circular con el mismo tres veces en
una dirección y tres veces en la
contraria. A ser posible, su pareja
debe mantener el hombro lo más
relajado que pueda y dejar el
movimiento completamente en sus
manos. Ahora, colóquese a su derecha

y realice los círculos con el otro hombro. Para ello debe poner su mano derecha bajo el hombro y la izquierda rodeando el brazo.

> Por último, arrodíllese frente a la cabeza de la persona que recibe el masaje (fotografía abajo). En caso necesario, vierta un poco más de aceite para poder deslizarse bien sobre la piel y coloque sus manos sobre los hombros.

> Deslice las manos en dirección al trasero de manera que sus antebrazos descansen sobre la espalda.

> Frote con las manos y los antebrazos la espalda, a ambos lados de la columna vertebral, alejándose tanto como pueda hacia el trasero.

> Seguidamente, deje que sus manos se separen y llévelas a ambos lados del cuerpo ejerciendo una presión suave hasta recuperar la posición inicial.

> Repita este procedimiento, como final del masaje *Lomi-Lomi* relámpago, algunas veces más.

Masaje de espalda entre horas

¿QUÉ CARACTERIZA ESTE MASAJE?

Con este sencillo masaje de espalda puede regalar en poco tiempo relajación y bienestar, así como aliviar el dolor de espalda.

ASÍ SE REALIZA

Para este masaje, su pareja debe echarse boca abajo. Puede poner los brazos bajo la cabeza o dejarlos relajados a ambos lados del cuerpo.

> Reparta el aceite de masaje por las palmas de sus manos y unte con él la espalda, frotando las manos arriba y abajo varias veces por todo el ancho de la misma.

> En primer lugar acostumbre los músculos al masaje: coloque sus manos planas en la parte baja de la espalda a derecha e izquierda de la columna vertebral y frote recto hasta la nuca ejerciendo una presión moderada.

> Repita este movimiento tres veces y en cada una ejerza más presión, pero solo la suficiente para que le resulte agradable a su pareja.

> Ahora empiece a amasar los músculos de la espalda, a un lado de la columna vertebral, desde la parte baja de aquella: pellizque los músculos con el pulgar y las puntas de los dedos índice y corazón y apriételos con cuidado.

Tiempo: unos 3 minutos.
Autotratamiento: no.
Tratamiento en pareja: sí.
Aceite de masaje: mezcle 1 cucharada de aceite de sésamo con 2 gotas de aceite esencial de neroli; antes realice la prueba de alergia (pág. 20).
Otros: masajear hasta que el aceite se haya absorbido por completo o dejar que se absorba solo.
Acción: relajante y equilibrante, aporta nuevas energías y alivia el dolor de espalda.

> Cambie continuamente de mano.

> Realice este movimiento tres veces a un lado de la columna vertebral subiendo hasta llegar a la nuca.

> Repita el masaje en el otro lado.

> Vuelva al lado que masajeó en primer lugar y empiece a la altura de la nuca.

> Con los dedos juntos, masajee con las yemas de ambas manos alternativamente una zona pequeña en dirección al trasero, a nivel de la piel. Baje un poco y vuelva a subir.

> Masajee de esta manera los músculos hasta la parte baja de la espalda y repita el movimiento tres veces;

> Repita el masaje en el lado contrario.

Masaje sensorial
con aceite de Cleopatra

¿QUÉ CARACTERIZA
ESTE MASAJE?

Hoy en día Cleopatra todavía es famosa por su belleza. Si no quiere bañarse en leche de burra, también puede mejorar su aspecto y la imagen que proyecta a los demás mediante el siguiente masaje sensorial.

ASÍ SE REALIZA

En el caso del autotratamiento, es preferible realizar el masaje sentado. Si se realiza el masaje en pareja, la persona que lo recibe puede echarse boca arriba.

Tiempo: *unos 3 minutos.*
Autotratamiento: *sí.*
Tratamiento en pareja: *sí.*
Aceite de masaje: *mezclar 1 cucharada de aceite de almendras con 1 gota de aceite esencial de menta; realizar antes la prueba de alergia (pág. 20).*
Otros: *quitarse los pendientes, el aceite no debe entrar en los ojos, después lavarse el pelo.*
Acción: *sensual y relajante, procura una piel suave.*

La persona que realiza el masaje se sienta o arrodilla por detrás de la cabeza de su pareja.

> Tome un poco de aceite de masaje en sus manos y repártalo entre sus dedos.
> Coloque los dedos planos y juntos en el centro de la frente y frote tres veces las sienes, delante de las orejas y a lo largo de la mandíbula hasta la barbilla.
> Seguidamente, frote desde la raíz de la nariz, pasando por las mejillas hasta las orejas.
> Repita el movimiento algo más profundo, desde las alas de la nariz hasta las orejas y, por último, desde la barbilla hasta las orejas.
> Seguidamente, masajee tres veces con las puntas de sus dedos desde la raíz de la nariz y por encima de las cejas hasta las sienes y después hacia abajo,

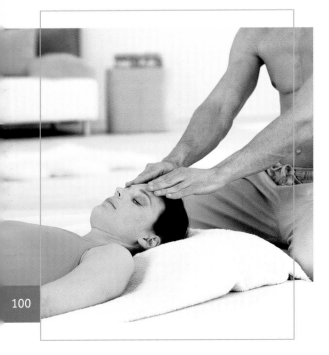

rodeando las orejas, y con los dedos separados, a través del cuero cabelludo de vuelta a la frente.

> Deslice sus manos a través de la mandíbula hasta la barbilla. Con pequeños movimientos circulares masajee tres veces la zona situada por debajo de la barbilla hasta las orejas.

> Seguidamente, masajee suavemente dos veces las orejas entre los dedos índice y corazón.

> Por último, masajee la línea de nacimiento del pelo con las yemas de los dedos separados y la parte de la cabeza a la que llegue sin problemas.

Ejercicio de masaje para las piernas

¿QUÉ CARACTERIZA ESTE MASAJE?

Un pequeño masaje de piernas siempre es agradable y aquellas personas que pasan mucho tiempo de pie pronto no podrán prescindir de él. Trae nueva vida a las piernas y, al mismo tiempo, previene la aparición de varices y la hinchazón de los tobillos.

Tiempo: *unos 5 minutos.*
Autotratamiento: *sí.*
Tratamiento en pareja: *sí.*
Aceite de masaje: *mezclar 1 cucharada de aceite de sésamo con 2 gotas de aceite esencial de limón; antes realizar la prueba de alergia (pág. 20).*
Otros: *masajear hasta que se haya absorbido todo el aceite.*
Acción: *refrescante y relajante para las piernas cansadas y doloridas.*

ASÍ SE REALIZA

Para este masaje, la pierna debe colocarse ligeramente flexionada para poder masajear también la pantorrilla. En el tratamiento en pareja, la persona que recibe el masaje se estira boca arriba y la que lo realiza se arrodilla junto a su cadera y mirando hacia los pies.

En el autotratamiento es preferible sentarse en el suelo e inclinarse para masajearse la pierna.

> Tome la mitad del aceite de masaje en la palma de la mano y repártalo con movimientos rectos y largos desde el tobillo hasta el muslo de la pierna izquierda.

> Seguidamente, coloque las manos planas una sobre otra sobre la parte posterior de la pierna, alrededor del tobillo y frote lentamente la pantorrilla, ejerciendo una presión moderada, hasta la rodilla.

> Repita el movimiento tres veces con cada mano, aumentando cada vez la presión.

> Seguidamente, coloque sus manos sobre el muslo y realice movimientos cortos y rápidos, primero en la parte posterior y luego en la anterior, desde la rodilla hasta el inicio del trasero.

> Ahora, ponga sus manos juntas sobre el maleolo externo y amase la totalidad de la cara externa de la pierna hasta la cadera. Presione alternativamente con ambas manos los músculos entre el pulgar y los restantes dedos. Respete las protuberancias óseas del tobillo y la rodilla.

> Con los dedos juntos, percuta con ambas manos en rápida alternancia desde el tobillo hasta el pliegue de la rodilla –primero la pantorrilla y después la cara posterior del muslo–.

> Para finalizar, repita el masaje completo en la pierna derecha.

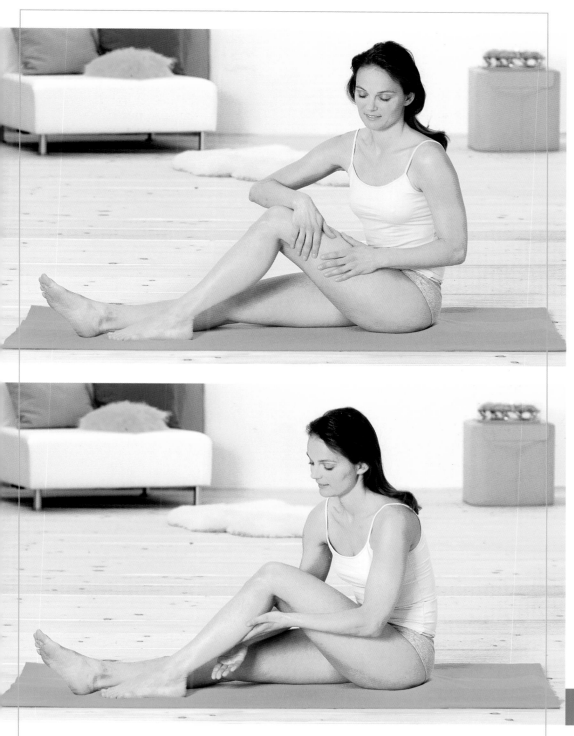

Masaje erótico con jazmín

¿QUÉ CARACTERIZA ESTE MASAJE?

En Oriente el aceite de jazmín se utiliza desde hace miles de años por su acción sensual y erotizante. Levanta el ánimo y ayuda a superar inhibiciones y miedos.

ASÍ SE REALIZA

Este masaje despliega su acción especialmente bien cuando se realiza en un ambiente adecuado: con una luz tenue, una música agradable, un cojín cómodo y absoluta tranquilidad. También es aconsejable no tener prisa después del masaje…

Tiempo: *unos 7 minutos.*
Autotratamiento: *no.*
Tratamiento en pareja: *sí.*
Aceite de masaje: *mezclar 4 cucharadas de aceite de almendras con 3 gotas de aceite esencial de jazmín; realizar antes la prueba de alergia (pág. 20).*
¡Tenga en cuenta!: *no durante el embarazo.*
Acción: *estimulante y erotizante.*

La persona que recibe el masaje se estira boca abajo con los brazos bajo la cabeza o estirados a ambos lados del cuerpo. Arrodíllese a la altura de su trasero, al lado o encima de este.

> Caliente brevemente el aceite de masaje entre sus manos. Seguidamente, vierta o deje gotear una buena cantidad en el centro de la espalda.

> Reparta el aceite con las manos planas por la espalda con grandes movimientos circulares (fotografía pág. 104).

> Por último, repártalo con las puntas de los dedos también por la nuca y muy suavemente a los lados del cuello, los cuales son una zona muy sensible –en esta zona es donde el aroma del jazmín puede desplegar mejor su acción–.

> Separe los dedos y masajee con las puntas de los mismos la nuca y la línea de nacimiento del pelo con movimientos circulares (fotografía de abajo). No ejerza presión alguna, ya que la caricia despierta más cosquilleo que un amasado enérgico.

> Ahora, deje deslizar las puntas de los

dedos suavemente dibujando líneas serpenteantes a lo largo de la columna vertebral en dirección al trasero.

> Repita este movimiento varias veces y estire las olas cada vez más allá.
> Siéntese al lado de las piernas de su pareja y realice el movimiento desde la zona lumbar, pasando por los glúteos y la cara posterior del muslo hasta la rodilla.
> Tome un poco más de aceite de masaje en las manos y rodee con ambas la cara externa del muslo. Realice un masaje con movimientos de amasado hasta la

altura de la cadera (fotografía de abajo). También puede amasar enérgicamente los glúteos entre el pulgar y los dedos.

> Pida a su pareja que se estire boca arriba. Arrodíllese por detrás de su cabeza, la cual puede descansar sobre o entre sus rodillas.
> Vierta abundante aceite de masaje en sus manos y repártalo desde el centro del pecho, primero hacia arriba hasta los hombros y después a ambos lados del cuerpo, para finalmente acabar en el abdomen.

> Ponga sus manos juntas y planas a la altura de las clavículas, sobre la caja torácica de su pareja.
> Ahora, empiece el masaje del abdomen: frote simultáneamente con ambas manos, dibujando grandes círculos hacia abajo y afuera, hacia ambos lados del cuerpo y de nuevo al centro del mismo (fotografía de abajo).
> Al realizar estos círculos, deje que sus manos se deslicen progresivamente hacia el abdomen, alejándose tanto como pueda.

> Ejerza una presión mínima y deje que sus manos sigan cuidadosamente los contornos del cuerpo.
> Para finalizar este masaje erótico, ponga sus manos juntas nuevamente sobre la parte superior del tórax.
> Frote el pecho y el abdomen en un movimiento largo y recto, alejándose hasta donde sus manos alcancen. En ese punto, separe las manos y suba con ellas, ligeras como plumas, por los lados del cuerpo hasta alcanzar el punto de partida.

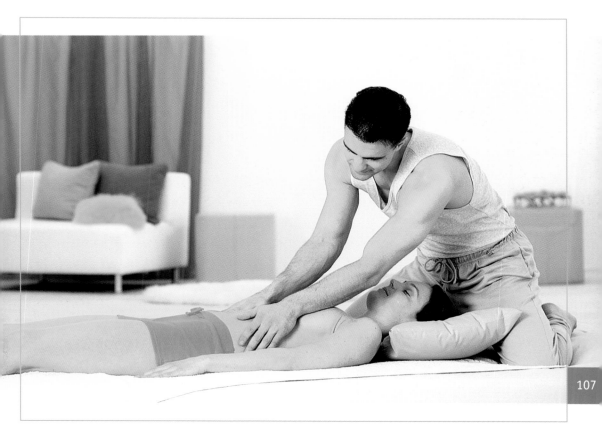

Masaje con sales para *peeling*

¿QUÉ CARACTERIZA ESTE MASAJE?

Este masaje con sales para *peeling* es un sustituto más fácil y natural que los *peelings* comerciales, que en ocasiones sobrecargan la piel con aditivos innecesarios. Une un beneficioso masaje

Tiempo: *unos 3 minutos.*
Autotratamiento: *sí.*
Tratamiento en pareja: *sí.*
Aceite de masaje: *mezclar 1 cucharadita de sal marina con 2 cucharaditas de aceite de sésamo.*
¡Tenga en cuenta!: *respetar la zona de los ojos; no realizar más de dos veces al mes.*
Acción: *limpia la piel y elimina las pieles muertas.*

facial con una ración extra de tratamiento de belleza. Dado que el efecto *peeling* es intenso, no debe realizar este masaje con demasiada frecuencia –en caso de pieles sensibles y finas basta con una vez al mes–. Además de para el masaje facial, la mezcla de *peeling*, preparada con sal y aceite, puede utilizarse una vez al mes para un *peeling* de brazos y piernas. Como en cualquier otro *peeling*, en este caso también debe tener en cuenta no aplicar la mezcla sobre la piel herida o irritada. La piel más gruesa de la planta de los pies o de los codos puede tratarse con esta mezcla dos veces al mes, lo que hará que pronto vuelva a estar suave y sedosa.

ASÍ SE REALIZA

Mezcle la sal y el aceite en un pequeño cuenco y vaya removiéndolo durante el masaje para que la sal no se pose en el fondo.

Puede realizar el masaje con sal para *peeling* estando el que lo recibe sentado o estirado. Frote la piel suavemente –en este tipo de masaje no es necesario presionar–.

> Sumerja los dedos en la mezcla de sal y aceite y empiece por las mejillas. Aplique la mezcla con pequeños movimientos circulares, primero en una mejilla y después en la otra y frótela suavemente desde la nariz hasta las orejas.

> Reparta la mezcla de *peeling* por la frente y masajéela con las puntas de los dedos dibujando grandes círculos desde las cejas hasta la línea de nacimiento del pelo.

> Seguidamente, sumerja solo el dedo índice en la mezcla y repártala con pequeños círculos sobre la nariz, sobre todo en las alas.

> Por último, con la mezcla de *peeling* realice movimientos circulares desde la barbilla hasta las orejas pasando por la mandíbula. Incluya también en el masaje la zona que queda por debajo de la barbilla.

> Seguidamente enjuague la mezcla de sal y aceite con agua caliente de manera que quede una delgada película protectora de aceite sobre la piel.

Masaje con leche y miel

¿QUÉ CARACTERIZA ESTE MASAJE?

Bañarse en leche agria y miel no es la única opción que tiene para beneficiarse del efecto sobre la piel de los principios activos de estas dos maravillas de la naturaleza: un breve masaje es igualmente beneficioso y mucho más rápido. De esta manera, puede disfrutar por ejemplo por la mañana, antes de ducharse, de un maravilloso masaje con un efecto extra.

ASÍ SE REALIZA

Es mejor realizar el masaje con leche y miel sentado. Saque la leche agria del frigorífico un poco antes de preparar la mezcla con el fin de que no esté tan fría y caliente la mezcla entre sus manos antes de aplicarla.

> Tome un poco de la mezcla de leche y miel en la palma de la mano y empiece el masaje por el muslo: aplique la mezcla con pequeños círculos hasta la rodilla en todo el contorno de la pierna y masajee suavemente la piel.
> Seguidamente, con menos cantidad de la mezcla, masajee de la misma manera la pierna desde el tobillo hasta la rodilla.
> Repita el masaje en la otra pierna.
> Ahora, aplique el masaje en los brazos: nuevamente, reparta la mezcla

Tiempo: *unos 5 minutos.*
Autotratamiento: *sí.*
Tratamiento en pareja: *sí.*
Aceite de masaje: *mezclar 2 cucharadas de leche agria con 1 cucharada de miel (miel escurrida).*
Otros: *dúchese con agua caliente después del masaje.*
Acción: *cuidado de la piel, la hace flexible y aterciopelada.*

dibujando pequeños círculos con los dedos sobre la piel.
> Empiece en la parte superior del brazo y masajee toda la zona que hay entre el hombro y el codo.
> Seguidamente, masajee de la misma manera el antebrazo, desde el codo hasta la muñeca, y repita todo el proceso en el brazo contrario.

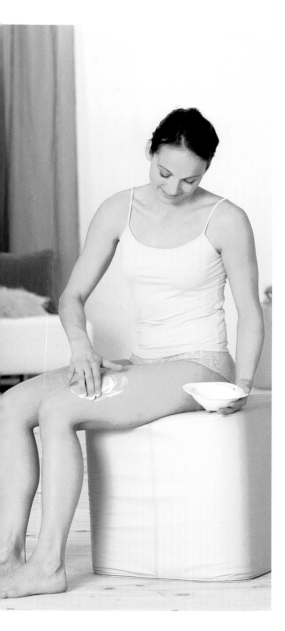

Minimasaje de ayurveda

¿QUÉ CARACTERIZA ESTE MASAJE?

Las raíces de la medicina india conocida como ayurveda se remontan a miles de años. Mediante el trabajo de innumerables sanadores, a lo largo de los años se ha constituido un sistema terapéutico holístico para cuerpo, mente y espíritu. En el ayurveda, la prevención es más importante que el tratamiento de los trastornos: la nutrición, el ejercicio físico y el masaje son adecuados individualmente a los distintos tipos de personalidad (doshas). De esta manera debe fortalecerse de tal manera la salud y el bienestar que los trastornos ni tan siquiera aparezcan.

En el ayurveda el masaje de todo el cuerpo con aceite de sésamo es especialmente importante. Al aceite de sésamo se le atribuye un destacado efecto nutritivo y equilibrante, de manera que es adecuado para todos los tipos de personalidad. El masaje en sí sirve sobre todo para aplicar suavemente el aceite de masaje sobre la piel. La utilización de grandes cantidades de aceite de alta calidad es mucho más importante que los movimientos en sí.

ASÍ SE REALIZA

Tanto en el autotratamiento como en el tratamiento en pareja, la persona que

Tiempo: *unos 10 minutos.*
Autotratamiento: *sí.*
Tratamiento en pareja: *sí.*
Aceite de masaje: *4 cucharadas de aceite de sésamo calentado al baño María a la temperatura del cuerpo.*
Otros: *después del masaje ducharse y lavarse el pelo para eliminar los restos de aceite.*
Acción: *equilibrante y fortalecedora, calmante en caso de inquietud, excitación o abatimiento.*

recibe el masaje se sienta sobre un pequeño taburete o un cojín grueso. Coloque debajo una toalla grande y gruesa para recoger las posibles salpicaduras de aceite.

> En primer lugar, vierta un poco de aceite de masaje, siempre previamente calentado, sobre la palma de su mano para comprobar la temperatura. Aplíquelo con cuidado en el punto más alto de la cabeza. Reparta el aceite con las palmas de las manos y masajee todo el cuero cabelludo dibujando pequeños círculos.

> Seguidamente, masajee la cara con las yemas de los dedos, siempre desde la línea media hacia las orejas: primero la frente, después las mejillas (fotografía izquierda pág. 113) y por último la barbilla y la mandíbula.

> Tome un poco más de aceite en sus manos y frote desde las orejas hasta el

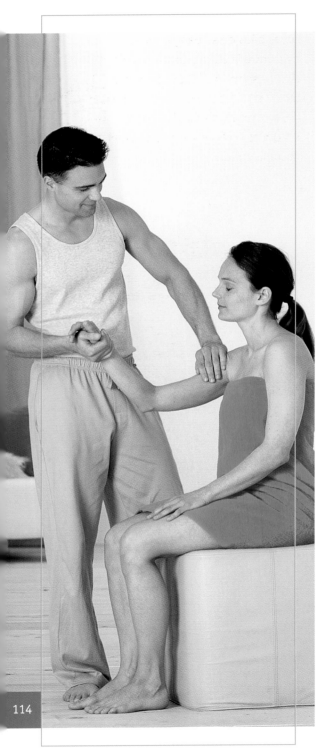

cuello y los hombros (fotografía derecha pág. 113).

> Frote la nuca, desde la línea de nacimiento del pelo hasta los hombros y deje deslizar sus manos suavemente de manera alternativa por la cara anterior del cuello. Seguidamente, masajee desde el pecho hacia los hombros, primero un lado del cuerpo y después el otro.

> Ahora, masajee los brazos: tome un poco de aceite en las palmas de las manos, rodee la muñeca y reparta el aceite en largas líneas entre la muñeca y el hombro, arriba y abajo –primero el brazo izquierdo y después el derecho (fotografía izquierda)–.

> Seguidamente, unte de aceite la espalda y el abdomen realizando movimientos circulares con las manos planas. En el automasaje, no es necesario que se retuerza innecesariamente: es suficiente con que unte de aceite la mitad inferior de la espalda.

> Masajee ahora las piernas: vuelva a tomar aceite en las manos y rodee con ambas el tobillo izquierdo. Deslícelas simultáneamente hasta por encima de la rodilla y gírelas alrededor del muslo para que no quede ni un pedazo de piel sin cubrir de aceite (fotografía derecha).

> Aplique el masaje en el muslo. Para ello, coloque las manos juntas y deslícelas arriba y abajo, una detrás

de la otra. Frote todo el muslo en todo su contorno y en la cara posterior incluya también al trasero en el masaje.

> De esta forma masajee primero la pierna izquierda y después la derecha.
> Por último, con el aceite restante, masajee los pies y las manos, sean los

suyos o los de su pareja. Frote los pies entre la palma de sus manos y deslice sus dedos entre los dedos del pie. Después frote la palma y el dorso de las manos, deslice los dedos entre los dedos de la otra mano y estírelos hasta la punta.

Masaje relámpago para los glúteos

¿QUÉ CARACTERIZA ESTE MASAJE?

Tras tres horas de permanecer sentado ininterrumpidamente, este masaje es una verdadera bendición: suelta los agarrotados músculos del trasero y evita que pierdan por completo su forma redondeada... Así pues, de tanto en tanto obséquie a esta parte del cuerpo, con frecuencia olvidada, con un relajante masaje.

ASÍ SE REALIZA

Obviamente, para el masaje del trasero la persona que lo recibe debe echarse boca abajo. Aquel que no quiera dejar su trasero en manos de un extraño debe hacer exactamente lo mismo: apoyar el pecho y la cabeza en un cojín puede ayudar a llegar mejor a su trasero. También puede realizar el masaje con ropa ligera, aunque en este caso renunciará al efecto del aceite de masaje.

> Si realiza el masaje sobre la piel desnuda, reparta el aceite de masaje entre las dos manos y frote varias veces con las mismas planas el trasero de arriba a abajo. En caso contrario, realice este movimiento prescindiendo del aceite de masaje.
> Cada vez que realice el movimiento aumente un poco la presión, la cual debe ser agradable pero firme.

Tiempo: *unos 2 minutos.*
Autotratamiento: *sí (si es usted flexible).*
Tratamiento en pareja: *sí.*
Aceite de masaje: *sin aceite o mezclar 2 cucharaditas de aceite de jojoba con 1 gota de aceite esencial de naranja; antes realizar la prueba de alergia (pág. 20).*
Otros: *masajear hasta que se haya absorbido todo el aceite o ducharse después del masaje.*
Acción: *estimula la circulación, anticelulítico.*

> Coloque las manos planas sobre las nalgas y realice movimientos circulares, con ambas manos a la vez, sobre la musculatura glútea.
> Dibuje círculos de esta manera, primero hacia adentro y después hacia afuera.
> Seguidamente, amase con fuerza las nalgas siguiendo una línea recta de arriba a abajo entre el pulgar y los dedos.
> En esta zona, los músculos toleran la presión más fuerte; con frecuencia el masaje solo despliega su efecto cuando se realiza de esta manera. En caso de duda, pregúntele a su compañero cuánta presión puede y debe ejercer. Para terminar, coloque los dedos separados y en un ángulo pronunciado sobre la piel y deslícelos con pequeños y rápidos movimientos circulares.

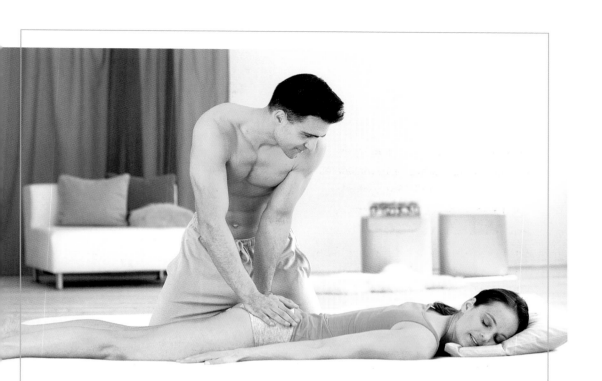

Ejercicio para masaje de percusión

Tiempo: *unos 2 minutos*.
Autotratamiento: *sí*.
Tratamiento en pareja: *sí*.
Aceite de masaje: *sin aceite*.
Acción: *estimulante, alivia la tensión y el cansancio*.

¿QUÉ CARACTERIZA ESTE MASAJE?

En el masaje de percusión se prescinde por completo de los clásicos amasado y presión. Para hacerlo realice suaves movimientos de percusión sobre la piel con un ritmo rápido. Este movimiento provoca oscilaciones en el tejido que activan el metabolismo y eliminan bloqueos y tensiones.

ASÍ SE REALIZA

El masaje de percusión se realiza sentado en posición erguida.

Cuando se trata de un masaje en pareja, las manos de la persona que recibe el masaje descansan relajadas sobre los muslos.

> Empiece en el pecho: percuta con cuidado desde el centro del pecho, lentamente, por encima del esternón hacia arriba hasta alcanzar su borde superior. Seguidamente, percuta con ambas manos simultáneamente desde el borde superior del esternón, a lo largo y por debajo de las clavículas, hasta el hombro.

> Ahora, percuta desde el centro del dorso de la mano izquierda, a lo largo de la cara externa del antebrazo, el codo y la cara externa de la parte superior del brazo hasta la articulación del hombro.

> «Trasládese» también lentamente por la piel, para que las oscilaciones se transmitan a lo largo del todo el brazo (a pesar de todo, los movimientos de percusión deben ser rápidos).

> Repita el masaje en el otro brazo.

> Vuelva a la parte izquierda del cuerpo. En primer lugar se trata el hombro: aplique la percusión en zigzag lentamente desde la articulación del hombro hasta la base del cuello. Realice el masaje también en el lado derecho.

> Seguidamente, realice el masaje de percusión en la cara. Para ello, percuta solo con la punta del dedo corazón y con especial suavidad. Percuta siguiendo la línea de nacimiento del pelo, desde el centro de la frente hasta las orejas. Seguidamente, percuta desde la raíz de la nariz, por encima de las cejas, alrededor de los ojos y a lo largo del hueso del pómulo hasta regresar de nuevo a la nariz.

> Por último, vuelva a las orejas y percuta a lo largo del borde de la mandíbula hasta la barbilla.

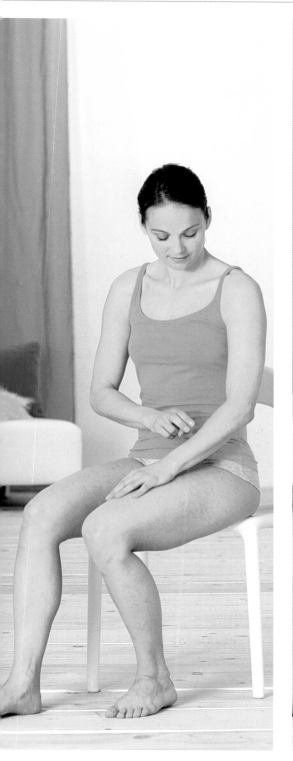

Masaje *kick* energético

¿QUÉ CARACTERIZA ESTE MASAJE?

Con el masaje *kick* energético puede recargar energía. Con él el cuerpo se recupera rápidamente de las sobrecargas.

ASÍ SE REALIZA

La persona que recibe el masaje se estira boca abajo. Dado que primero se masajea la espalda y después las piernas, debería cubrir el resto del cuerpo con una toalla o una manta.

> Arrodíllese junto a la espalda de su pareja, tome un poco de aceite de masaje en las manos y colóquelas sobre la zona lumbar, a derecha e izquierda hasta llegar a los hombros.

> Seguidamente, deslice sus manos sobre la espalda con un movimiento de zigzag.

> De esta manera, masajee la espalda desde los hombros hasta la parte baja y después de nuevo hacia atrás.

> Ahora, «pique» con el borde externo de las manos la musculatura del hombro. Deje que sus manos caigan alternativamente con la muñeca suelta sobre los músculos. Realice el masaje

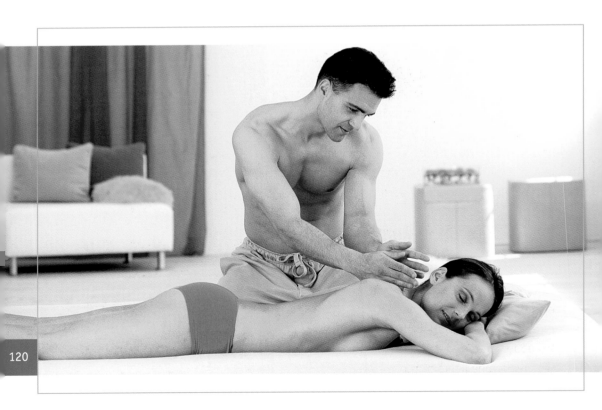

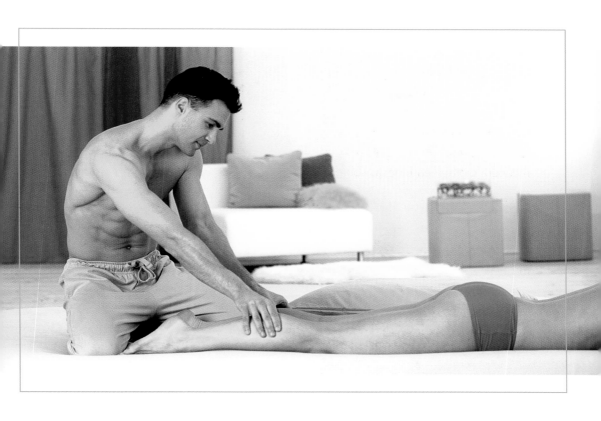

con un ritmo regular y rápido de un lado al otro sobre ambos hombros, respetando sin embargo la columna vertebral.

> Arrodíllese delante de los pies de su pareja. Frote un poco de aceite de masaje entre sus manos y deslícelas planas tres veces y simultáneamente por las piernas, desde el tobillo, pasando por las pantorrillas, hasta el pliegue de la rodilla.

> Para terminar, coloque sus manos por encima del tobillo, pellizque los músculos entre el pulgar y el resto de los dedos y estire de ellos hacia arriba ejerciendo una ligera presión.

> De esta forma masajee toda la pantorrilla.

Tiempo: *unos 5 minutos.*
Autotratamiento: *no.*
Tratamiento en pareja: *sí.*
Aceite de masaje: *mezclar 1 cucharada de aceite de jojoba con 3 gotas de aceite esencial de naranja; antes realizar la prueba de alergia (pág. 20).*
Otros: *masajear hasta que se haya absorbido todo el aceite o ducharse después del masaje.*
Acción: *estimulante y revitalizante.*

Ejercicio de masaje placentero de cabeza

Tiempo: *unos 4 minutos.*
Autotratamiento: *sí.*
Tratamiento en pareja: *sí.*
Aceite de masaje: *sin aceite.*
Acción: *calmante y relajante, puede aliviar el dolor de cabeza.*

¿QUÉ CARACTERIZA ESTE MASAJE?

Este breve masaje de cabeza es ideal para disfrutar –sea antes de acostarse o entre horas, procura relajación y bienestar–. Y lo mejor es que puede realizarse prácticamente en cualquier lugar, tanto solo como en pareja.

ASÍ SE REALIZA

Lo mejor es realizar el masaje sentado.

> Coloque las puntas de los dedos, con los mismos juntos, en la línea de nacimiento del pelo, en el centro de la cabeza.

> Con un movimiento en espiral y ejerciendo una presión suave, masajee la cabeza hasta la nuca.

> Repita el movimiento alejándose cada vez un poco más del centro, hasta las orejas.

> Con los dedos juntos, sitúe la punta de sus dedos en la nuca y realice un masaje con pequeños círculos siguiendo el borde del cráneo.

> Con los dedos separados, masajee con las puntas de los dedos, ejerciendo una ligera presión, desde la línea de nacimiento del pelo a la altura de la nuca hasta el punto más alto de la cabeza.

> Repita el movimiento alrededor de la cabeza, en forma de corona, hasta llegar al centro de la frente.

> Por último, masajee la cabeza alternativamente con los dedos separados a través del pelo y sepárese ligeramente de la cabeza. Trabaje de esta manera toda la cabeza.

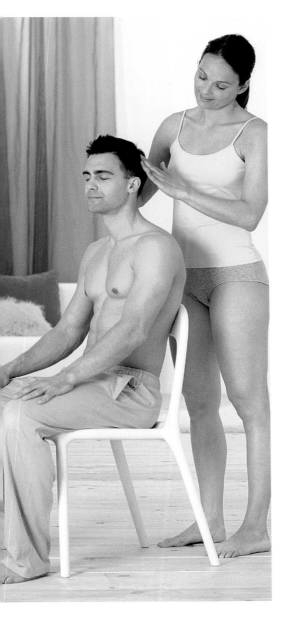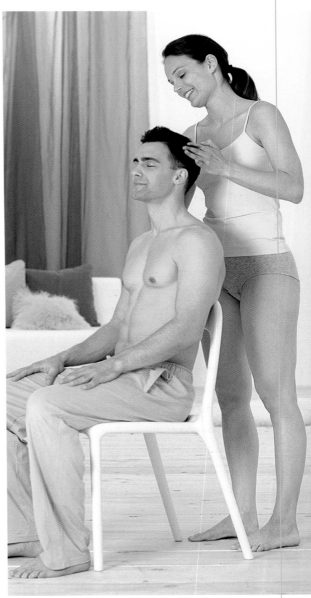

Pequeño masaje
para conciliar el sueño

En ocasiones, después de un día agotador se hace difícil conciliar el sueño, y cuando el día siguiente promete ser estresante, a muchas personas les cuesta coger el sueño. El pequeño masaje para conciliar el sueño puede solucionar este problema: en lugar de contar muchas ovejas, es suficiente con un pequeño masaje en un ambiente tranquilo.

Tiempo: *unos 5 minutos.*
Autotratamiento: *sí.*
Tratamiento en pareja: *sí.*
Aceite de masaje: *mezclar 1 cucharadita de aceite de almendras con 1 gota de aceite esencial de lavanda; realizar antes la prueba de alergia (pág. 20).*
Otros: *masajear hasta que el aceite se haya absorbido completamente o dejar que se absorba solo.*
Acción: *calmante y relajante, ayuda a conciliar el sueño.*

ASÍ SE REALIZA

El masaje actuará con mayor rapidez cuanto más tranquilo sea el ambiente que le rodea. Realícelo inmediatamente antes de acostarse para que después pueda arrebujarse en la cama totalmente relajado. Para realizar el masaje primero debe sentarse.

> Todavía sin aceite de masaje, coloque las manos a derecha e izquierda de la cabeza de manera que los pulgares descansen sobre la nuca.

> Presione con la yema de los pulgares, dibujando pequeños círculos, el borde de la fosa situada en el borde inferior del cráneo.

> Ahora, tome un poco de aceite de masaje con la yema de los dedos y repártalo con pequeños círculos en el centro del pecho. De esta manera, el aroma calmante del aceite de lavanda puede desplegar toda su acción.

> Seguidamente, masajee el punto situado directamente entre las cejas con la punta del dedo índice dibujando pequeños círculos y ejerciendo una suave presión.

> Por último, masajee con ambas manos simultáneamente, utilizando las yemas de los dedos índice y corazón, la zona que hay por debajo de la rodilla y la parte externa de la tibia.

> Masajee lentamente dibujando pequeños círculos, ejerciendo una presión perceptible sobre estos puntos durante unos dos minutos; estos movimientos son especialmente calmantes.

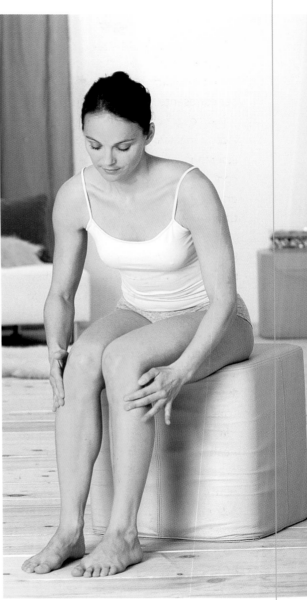

Índice alfabético

La autora

Rahel Rehm-Schweppe
es fisioterapeuta titulada
con formación adicional en
terapia manual y
osteopatía. En la
actualidad se dedica
básicamente a las técnicas
de masaje para el
bienestar y masaje
oriental.

Advertencia

Este libro ha sido redactado con sumo cuidado. Sin embargo, los datos incluidos no están garantizados. Ni la autora ni la editorial pueden asumir la responsabilidad de los eventuales perjuicios o daños resultantes de la información contenida en este libro.

Título de la edición original: Massage Quickies zum Verwöhnen

Es propiedad, 2008
© BLV Buchverlag GmbH & Co. KG, Múnich

© de la edición en castellano, 2012:
Editorial Hispano Europea, S. A.
Primer de Maig, 21 - Pol. Ind. Gran Via Sud
08908 L'Hospitalet - Barcelona, España.
E-mail: hispanoeuropea@hispanoeuropea.com

© fotografías: Susanne Kracke, excepto págs. 5, 19, 108 de Antje Anders.
© ilustraciones: Jörg Mair (pág. 13), Sandra Menke (págs. 17, 38).

© de la traducción: Margarita Gutiérrez

Depósito Legal: B. 1138-2012

ISBN: 978-84-255-1973-4

Impreso en España
Limpergraf, S. L.
Mogoda, 29-31 (Pol. Ind. Can Salvatella)
08210 Barberà del Vallès

Consulte nuestra web:
www.hispanoeuropea.com